Château Palmer

Noblesse oblige

RENÉ PIJASSOU

Château Palmer
Noblesse oblige

PHOTOGRAPHIES DE
JEAN-PIERRE LAGIEWSKI

Stock

Un tirage spécial de cet ouvrage
a été réservé au Château Palmer,
dont cet exemplaire
porte le numéro

2029

Au royaume de Margaux

❦ Un bouquet floral unique.
Au royaume de Margaux, Château Palmer est

l'un des plus prestigieux duchés de l'appellation. Son vin, rond et élégant, offre un bouquet floral unique, une saveur veloutée conjuguant finesse et longueur, une robe pourpre, rubis foncé. Autant de caractères liés à ce terroir d'exception qu'est le Médoc, où fleurissent les plus nobles cépages : cabernet sauvignon, merlot, petit verdot et cabernet franc. Entre la plante et le sol, s'élabore une mystérieuse alchimie, d'où naissent les grandes réussites vinicoles.

Les vignes de Palmer s'étendent dans la commune de Margaux, dont elles revendiquent l'appellation d'origine contrôlée, et sur les terres du lieu-dit Issan, commune de Cantenac. On dénombre, dans ce périmètre royal, dix-huit crus classés, dont le fameux Château Palmer, classé troisième en 1855.

À quoi tient la perfection des produits nés sur ce sol ? Pour répondre à la question, il paraît utile d'apporter quelques précisions d'ordre géologique et géographique.

Le vignoble de Palmer, au centre d'un plateau, présente des ondulations légères : les croupes, dont les pentes facilitent l'écoulement de l'eau, surtout depuis que la main de l'homme a éliminé les mouillères, secteurs d'eau stagnante, par un habile réseau de drains. Ainsi a-t-elle supprimé l'eau « immobile », ce « poison de la vigne », comme l'écrivait au début du XIXe siècle Migault-Lamothe, le régisseur de Château Latour.

Le terroir de Palmer recouvre une partie de la nappe de graves dites du Günz, étalée par une très ancienne Garonne à l'ère quaternaire, voici plus de 1 500 000 ans. Les graves désignent les galets émoussés qui truffent une matrice argilo-sableuse. Il s'agit d'anciennes formations alluviales, issues de formidables coulées boueuses, déposées en terrasses, fortement ruinées par l'érosion postérieure.

Les éléments de Günz servent de support à tous les grands crus classés du Médoc. Les galets de grande dimension (jusqu'à quinze centimètres) y dominent largement. Les terres de Palmer, qui ressemblent à certaines parcelles de Latour, montrent bien la

Château Palmer : le vignoble situé sur un terroir d'exception.

prédominance de ces grosses graves. Parmi elles, dans ce « melting-pot » lithologique, on distingue les lydiennes noires, cassantes comme du verre, les galets de quartz blanc et de quartzite, marbrés de noir, ainsi que les cailloux rouges, rosés, parfois striés de vert, issus des poudingues de « Palassou ».

❦ Des terroirs « maigres et infertils »...

Une autre condition s'avère essentielle à la naissance d'un grand cru : le substrat géologique. En Médoc, celui-ci est le plus souvent marno-calcaire, d'âge tertiaire. Les vieilles vignes, âgées de cinquante ans ou plus, traversent la nappe de graves, épaisse de plusieurs mètres et, à plus de huit mètres de profondeur, s'alimentent dans les assises tertiaires sous-jacentes. Compte tenu de leur prédominance en quartz, les sols du vignoble médocain se caractérisent à la fois par leur acidité et leur pauvreté en substances nourricières de la plante. Leur capacité en bases échangeables reste faible, et constitue bien des terroirs « maigres et infertils », comme l'écrivaient les auteurs du XVIᵉ siècle. Quand on pense qu'avant d'être un grand vignoble, le Médoc fut

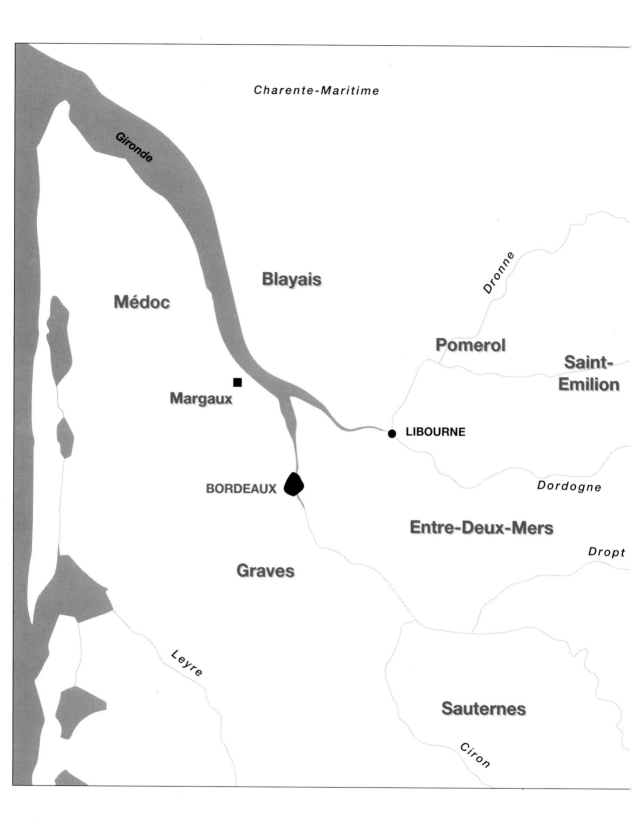

un pays de landes pauvres, producteur de seigle ! Précisément pour cette raison, les pères fondateurs du vignoble du Médoc jetèrent leur dévolu sur ces terrains, parce qu'ils limitaient les rendements de la vigne, laquelle, à trop produire, eût donné des vins de modeste qualité.

Le climat, enfin, exerce une influence déterminante. En Médoc, les étés et le premier automne sont généralement chauds, secs et ensoleillés. Le printemps, précoce et peu arrosé, favorise le « débourrage » hâtif de la vigne et la floraison de mai-juin. La masse d'eau de l'estuaire joue un rôle de régulateur thermique. Les méfaits des gelées tardives de printemps se trouvent fort atténués dans les vignobles qui « voient la rivière », c'est-à-dire ceux qui jouxtent les rives de l'estuaire. Rarissimes sont les « hivers qui tuent », à l'image de février 1956, entraînant une importante morta-lité de ceps. Cependant, le climat aquitain manifeste quelques caprices. Certains étés, noyés par des pluies persistantes, entravent la parfaite maturité du raisin et déclenchent la « pourriture grise » – combattue, de nos jours, par des techniques appropriées. Quoi qu'il en soit, une fin de cycle végétatif médiocre produira un millé-sime mince et un vin peu coloré. En revanche, si « août fait le moût », des températures supérieures à 30° C et de belles journées ensoleillées en septembre favoriseront les grands millésimes, résul-tats d'une maturité parfaite. Aussi, à Palmer plus qu'ailleurs en Médoc, les années fastes l'emportent-elles sur les périodes de vaches maigres. La plupart des vendanges nous apportent donc leur moisson de chefs-d'œuvre, qu'il ne reste plus qu'à encaver en attendant que le temps fasse son œuvre et libère les capiteux arômes...

❦ L'enfance d'un domaine. L'origine de Palmer remonte au XVIIIe siècle.

au XVIIIe siècle. Existait alors, à Cantenac, au lieu-dit La Palu-d'Issan, une propriété viticole dénommée le Château de Gascq. À partir de ce noyau central se constitua le futur domaine de Palmer. Cette propriété appartenait déjà à une famille de l'aristocratie bordelaise, les Gascq, conseillers et présidents au parlement de Bordeaux : illustre lignée, possédant d'autres biens dans la région de Preignac-Barsac, et dont un membre, Jeanne de Gascq, veuve d'un « robin » (noble de robe) bordelais, avait, presque un siècle plus tôt, épousé Jacques de Ségur, conseiller au parlement de Bordeaux et fondateur du grand vignoble de Château Lafite, à Pauillac. Mais revenons à l'enfance de notre domaine, dans ce XVIIIe siècle, théâtre non d'une seule, mais de deux révolutions : la grande, l'épique Révolution française ; et l'autre, non moins française mais plus lente et moins connue : celle du grand vin, et particulièrement du vin de Bordeaux.

Jusqu'alors, le Bordelais produisait du « claret », un vin « bon, pur, net, nouveau et marchand », fort prisé par la clientèle anglaise depuis le XIIe siècle. Le grand vignoble médiéval d'exportation n'était pas localisé en Médoc, mais dans les Graves de Bordeaux et sur les rives des deux fleuves et de leur estuaire commun, auxquels s'ajoutaient quelques hectares sur la rive nord de la jalle de Blanquefort.

Dès le XVIIe siècle, les choses commencèrent à changer, le marché du vin peu à peu se transforma. À la base de cette évolution : la guerre – à la fois militaire et économique – que se livraient la France de Louis XIV et l'Angleterre protestante. Les Anglais avaient « tiré les premiers », en frappant les produits français, et particulièrement les vins, de lourds droits de douane. Les clarets gascons traditionnels se trouvèrent défavorisés au moment où d'intrépides hommes d'affaires hollandais offraient de nouvelles boissons aux amateurs britanniques : tisanes coloniales, chocolat, café, thé, de même que bières nouvelles bien houblonnées, alcools, brandevin, etc. Enfin, c'était la mode de nouveaux vins : portos non

Les gestes du vigneron sont inchangés comme en témoigne cette gravure du Moyen Âge.
DR. Coll. part.

mutés, vins blancs de Lisbonne, vins noirs, c'est-à-dire vins rouges plus colorés, produits par les viticulteurs de Cahors, des pays ibériques, voire d'Italie.

Les tonneliers, bois gravés du Moyen Âge.
DR. Coll. part.

 « *Claret's lovers* ».
Face à cette concurrence, les clarets anciens connurent les pires difficultés. Les taxes à l'importation augmentant considérablement leur prix, ils devinrent beaucoup plus chers sur le marché anglais que leurs concurrents. Les *claret's lovers* – les amoureux du claret bordelais –, issus, pour la plupart, de l'*upper middle class*, acceptèrent de rester fidèles au Médoc, à condition qu'on leur offrît des clarets à un tarif raisonnable.

17

L'art des tonneliers.
Livre d'Heures
de la duchesse
de Bourgogne.
*Musée Condé,
Chantilly.*

Certains producteurs surent s'adapter à cette demande. En particulier, Arnaud de Pontac, premier président du parlement de Bordeaux et propriétaire du Château Haut-Brion à Pessac, dans les Graves de Bordeaux, eut l'idée géniale de proposer aux Anglais un nouveau claret portant le nom de son domaine. Vers 1666, il chargea même son fils d'ouvrir à Londres un restaurant à l'enseigne de « Chez Pontac », où de riches gourmets purent déguster des bouteilles de Haut-Brion à six ou sept shillings pièce, alors que les vins d'Espagne et du Portugal coûtaient deux shillings. Formidable « coup de publicité » : l'aristocratie anglaise se rua « Chez Pontac ». Parmi les hôtes illustres de cette maison, citons Dryden, Daniel De Foe, Swift et le philosophe John Locke. La réputation du « nouveau claret » fut si bien établie que, au printemps 1677, John Locke, séjournant à Bordeaux, vint visiter le vignoble de M. de Pontac. La description laissée par l'auteur constitue la première analyse d'un terroir particulier, fait de graves et de sables maigres. Locke écrivait : « Telle est la qualité particulière du sol du vignoble de M. Pontac, près de Bordeaux, que les négociants m'ont assuré que le vin provenant des vignobles les plus proches, alors qu'un simple fossé les sépare et que le sol est, en apparence, parfaitement le même, était nettement moins bon. » Texte précieux, qui confirme la réputation dont bénéficiaient les vins de Haut-Brion en Angleterre et qui, surtout, définit pour la première fois la notion d'excellence d'un terroir.

Il faudra attendre un siècle pour que s'élève une voix, en écho :

Les vendangeurs.
Livre d'Heures
de la duchesse
de Bourgogne.
*Musée Condé,
Chantilly.*

l'abbé Baurein, érudit consciencieux, mena une vaste enquête dans les paroisses du Bordelais. Vers 1784-1786, il publia ses *Variétés bordelaises*, où il fait état de la réputation grandissante des vins du Médoc. « La faveur qu'ont eue ci-devant les vins du Médoc a fait qu'on s'est hâté d'acquérir des possessions dans cette contrée et qu'on a cherché à s'y procurer des habitations. » À propos, précisément, de la paroisse de Cantenac, l'abbé Baurein remarquait : « Les vins de Bourg étaient si estimés dans le siècle dernier [XVIIᵉ] que les particuliers qui possédaient des biens dans le Bourges [Bourgeais] et dans le Médoc ne vendaient leurs vins de Bourg qu'à condition qu'on leur achèterait en même temps ceux du Médoc [...] » Ce qui revenait à dire que la promotion qualitative des vins du Médoc était lancée. L'abbé expliquait ainsi l'abandon, par l'abbaye de Vertheuil, en Médoc, des dîmes du prieuré de Cantenac, le futur château du Prieuré, au curé de la paroisse : « On ne prévoyait pas, pour lors, la faveur et la réputation acquises, depuis cette époque [1685-1686] par les vins de Cantenac et, en général, les vins du Médoc. » Toutefois, en 1919, Frantz Malvezin nuance ce propos : « Nous avons des raisons de supposer que l'abbé a fait quelque confusion, et qu'il a voulu parler d'un propriétaire du Bourgeais qui n'avait vendu ses vins de Saint-Androny, en Bourgeais, que si on lui achetait aussi ses vins de Cantenac. Mais dans le document que nous avons vu, il s'agit de Cantenac-en-Bourgeais joignant Saint-Androny »...

Le vigneron.

✿ Les « *new french clarets* ».
Ce que Baurein n'avait pas relevé, c'est que les grands vins du Médoc, grâce à la voie ouverte par Arnaud de Pontac, avaient conquis le marché britannique sous l'expression de *new french clarets*, les nouveaux clarets français. Les documents anglais du début du XVIIIe siècle attestent avec éloquence de la fortune de ces grands vins médocains. La série des petites annonces de la *London Gazette*, publiées entre 1703 et 1711, constitue l'une des sources britanniques les plus significatives. Les cargaisons des navires français saisies en haute mer par la Royal Navy se vendaient aux enchères à Londres. La *London Gazette* alertait les amateurs. Sur les cent cinquante-trois annonces que nous avons relevées pour la première décennie du XVIIIe siècle, évoquons seulement celle du 6 mai 1707. Les douanes anglaises annonçaient qu'allait être vendu aux enchères un lot entier de *new french prize clarets*, sur lie, récemment débarqué, et provenant des crus de Lafite, Margaux et Latour. Ces nouveaux grands crus, auxquels s'associaient fréquemment les vins de Haut-Brion, valaient cinq à six fois plus cher que les clarets traditionnels. Gageons qu'ils trouvèrent preneurs !

La clientèle de ces vins d'un type nouveau se recrutait dans l'aristocratie fortunée de Londres ; ainsi, John Hervey, premier comte de Bristol, en devint un consommateur fidèle, de même que le duc de Chandos. L'un des amateurs le plus célèbres des *new french clarets* fut Sir Robert Walpole, Premier ministre britannique : en 1733, il acheta onze barriques de grands vins du Médoc. C'est dire le prestige dont jouissaient ces vins.

Le tonnelier.
Nicolas de Larmessin,
gravure fin XVIIe siècle.
Coll. part.

Habit de Tonnellier

🍇 La « fureur de planter ».
Vers 1700, la presqu'île du Médoc demeu-

rait encore une terre faiblement peuplée et peu viticole ; la vigne n'y apparaissait que sous forme d'îlots, isolés au milieu des landes, des bois et des terres à seigle. De larges espaces à conquérir s'offraient aux pionniers. Or les perspectives commerciales s'avéraient favorables : la paix était proche. Les marchés de l'Europe du Nord-Ouest allaient amener des consommateurs fortunés et nombreux. La réussite de Pontac à Haut-Brion ne pouvait manquer de stimuler ses confrères du parlement de Bordeaux.

Ce fut une véritable traînée de poudre : de 1700 à 1760, on assista à une authentique colonisation du Médoc. La croissance des espaces viticoles fut irrésistible. Cette action pionnière contribua à créer une structure foncière où s'affirma la prédominance de la grande propriété, le plus souvent seigneuriale. Vraisemblablement, le grand froid de l'hiver de 1709, plus destructeur dans les Graves de Bordeaux que dans le Médoc, ne fut pas étranger à cette rage de planter qui s'empara des milieux bordelais et les lança à la conquête du nouveau paradis : le Médoc.

L'habit de vigneron. Nicolas de Larmessin, gravure, fin XVIIe siècle. *Coll. part.*

Habit de Vigneron

L'administration monarchique s'inquiéta de cet essor foudroyant. Déjà, en 1698, l'intendant Bazin de Bezons stigmatisait la « furieuse quantité de vignes » qui détournait les producteurs bordelais de la culture des précieuses céréales. En 1724, l'un de ses successeurs à la tête de la généralité de Guyenne, Claude Boucher, fustigeait dans un mémoire la « fureur de planter » qui s'était emparée, depuis 1710 environ, des propriétaires bordelais.

Jamais la passion viticole n'anima les habitants de la Gironde avec

21

autant d'intensité que dans la première moitié du XVIIIe siècle. À preuve, l'intendant de Bordeaux mettait au premier rang de ses soucis le « péril viticole » car, disait-il, depuis le début du XVIIIe siècle, « tout a été mis en vignes ; et, à près de dix lieues aux environs de Bordeaux, on ne voit qu'un vignoble. Cette même frénésie a gagné tout le reste de la province ». L'intendant proposait une solution pour le moins radicale : « En un mot, il faudrait arracher toutes les vignes plantées depuis 1709, dans tout le haut pays et dans la Généralité de Bordeaux, à l'exception des Graves du Médoc, des Graves de Bordeaux et des Costes. »

❦ Un essor irrésistible. Le gouvernement adopta finalement une certaine sagesse. Par l'arrêté du 27 février 1725, le Conseil d'État se borna à interdire « toute nouvelle plantation de vignes dans l'étendue de la Généralité de Bordeaux sans une permission expresse de Sa Majesté, à peine de 3 000 livres d'amende ».

À vrai dire, ces mesures répressives, appliquées sans tarder par Claude Boucher, n'eurent pas raison de la ténacité et de l'esprit d'entreprise des viticulteurs bordelais. L'intendant fut, semble-t-il, trahi par ses subordonnés, notamment par son délégué Jean-Pierre de Pontet, futur fondateur du grand cru de Pontet-Canet.

Le successeur de Boucher, Tourny, entreprit de châtier les contrevenants. En 1745, il ordonna une enquête pour connaître l'étendue des nouvelles plantations et le nom des propriétaires coupables. Trois ans plus tard, il prononçait treize condamnations. Trois mille livres d'amende pour les coupables, deux cents livres pour le syndic, le tout assorti de l'obligation d'arracher les vignes nouvellement plantées. Parmi les treize propriétaires condamnés figurait le président de Gascq, lequel dut procéder à l'arrachage de trois hectares de vignes plantées à Cantenac.

Mesures plus spectaculaires qu'efficaces. En 1756, Tourny reconnut lui-même son échec. Il avoua que « la fraude avait été plus industrieuse que l'attention des surveillants car, à cette date, il y

Grappe de raisin.
*Bibliothèque du
Muséum d'histoire
naturelle, Paris.*

avait plus de vignes qu'en 1731 ». Dès lors, le vignoble s'étendit irrésistiblement. En 1755, les vignes parsemaient le terroir, de Blanquefort à Saint-Estèphe. Des châteaux étaient créés : Lafite et Latour par les Ségur, Margaux par Denis d'Aulède, Beychevelle par Brassier. Sans oublier Pichon de Longueville, Rauzan, Brane-Cantenac. À quelques exceptions près, tous les futurs grands crus classés en 1855 existaient dès cette époque.

Le vendangeur et sa comporte d'osier sur le dos. Aquarelle du XVIIIe siècle.
Coll. part.

❦ Sur les bateaux de Gironde.

Gascq ne sait pas qu'un jour il deviendra Palmer. En cette fin du XVIIIe siècle, le château s'invente, se cherche, couve les flamboiements à venir : il est promis à devenir, en 1855, un troisième grand cru classé. Sur un vignoble bien regroupé, il dispose d'au moins vingt-cinq à trente hectares.

Par ailleurs, la révolution viticole se traduit par l'adoption de nouvelles méthodes de culture et d'organisation du travail, par la sélection des cépages nobles et l'élimination des autres. Le merlot apparaît dans la première moitié du XIXe siècle.

Ce qui est encore le domaine de Gascq sélectionne sévèrement ses récoltes, réparties en « premiers vins » ou « grands vins » (qui, seuls, bénéficient de la marque du château), « seconds vins », « fonds de cuve » et « treuillis » (vins de presse). Tous sont expédiés en barriques, car la mise en bouteilles au château n'existe pas encore. Les fûts voyagent sur les « bateaux de Gironde », vers les quais des Chartrons.

Avant la vente proprement dite, puis par la suite, dans les chais des négociants bordelais, les vins reçoivent des soins systématiques : ouillages fréquents, c'est-à-dire vérification du bon remplissage du fût par ajout de vin de la même récolte et du même cru ; tous les trois mois environ, on procède au soutirage de la barrique, autrement dit au « tirage au fin » pour éliminer les lies. À chaque « tirage au fin », on brûle dans le fût une allumette de chai : « *a dutch match* » – l'allumette hollandaise. Le gaz sulfureux aseptise la barrique et le vin. Cette découverte, fondamentale pour une bonne conservation, date probablement des années 1730-1740. L'emploi de la mèche soufrée ne tarda pas à se généraliser et constitue l'innovation essentielle de l'époque.

Autre technique de chai : le « fouettage » ou « collage » des vins en barriques. On verse dans le fût une douzaine de blancs d'œuf, battus en neige, contenus dans un petit récipient de bois, le bontemps. À l'aide d'un fouet de crin, on bat vin et blancs d'œuf. Cette opération assure la parfaite clarification du vin, tout en lui conférant du brillant. La réserve du propriétaire n'est mise en bouteilles qu'après un séjour de quatre ans en barrique. Ces procédés facilitèrent

grandement la comparaison qualitative des millésimes. Ainsi naquit, à la fin du XVIIIᵉ siècle, le vocabulaire de la dégustation.

PAGE PRÉCÉDENTE ET CI-DESSUS
Château Palmer : l'opération traditionnelle de collage du vin au blanc d'œuf.

❧ Les livres de M. Lawton. Le Château Palmer possède son livret de famille, un ouvrage d'une richesse exceptionnelle, et

sans doute unique en son genre. Il s'agit des livres de courtage du bureau Tastet-Lawton, qui contiennent toute la mémoire des ventes vinicoles en Médoc dans la seconde partie du XVIIIᵉ siècle. Grâce à ce document, obligeamment ouvert par Daniel Lawton, lointain héritier d'Abraham Lawton venu s'établir à Bordeaux en 1739, il est possible de dresser un état des lieux de ce qui était encore le château de Gascq, de connaître la cotation de ses vins ainsi que leur destinée commerciale. L'ouvrage établit notamment l'existence, en Médoc, d'une hiérarchie des cotations des grands vins qui préfigure le futur classement de 1855.

Nous avons retrouvé onze ventes et, partant, onze cotations des grands vins du château de Gascq, entre 1746 et 1785. Cette cotation s'établit en moyenne à 462 livres 10 sols le tonneau de 900 litres. Un niveau de prix qui place Gascq sur le même rang que Pichon-Longueville à Pauillac et surpasse Lynch-Bages et Brassier, le futur Beychevelle, dont la cotation moyenne n'excédait pas 440 livres le tonneau. Pontet-Langoa atteignait 360 livres. Le château de Gascq se trouvait au même niveau que Bergeron-Ducru, à Saint-Julien, le futur Château Ducru-Beaucaillou, dont la cotation moyenne avoisinait 480 livres. En vendant ses grands vins aux meilleures maisons des Chartrons, Gascq occupait déjà une place plus qu'honorable.

Plus fragile, en revanche, apparaissait la quantité produite et vendue. Pour onze récoltes, entre 1746 et 1785, le revenu brut du château s'éleva sans doute aux environs de 80 000 livres, le revenu annuel brut étant de l'ordre de 7 335 livres, ce qui révèle une certaine fragilité financière. Quand le domaine de Gascq se trouva

PAGE PRÉCÉDENTE, CI-DESSUS ET PAGES SUIVANTES

Château Palmer : les soutirage et tirage au fin qui permettent d'éliminer les dépôts au fond des fûts.

31

atteint par les difficultés économiques dues à la période révolutionnaire et à l'époque napoléonienne, la trésorerie du château devait
être obérée de dettes. Cette situation décida sans doute les héritiers de Gascq à vendre leur domaine, en 1814, au général Palmer.
La qualité des grands vins du château de Gascq, au XVIIIᵉ siècle, ne
saurait être mise en doute : leur niveau de prix en témoigne. Le
courtier Lawton, que l'on peut considérer comme l'un des premiers
classificateurs de vins, ne tarissait pas d'éloges sur Cantenac,
« l'une de nos belles, écrivait-il, bonnes et grandes communes »,
laquelle dispensait « un bon vin séveux, agréable, possédant beaucoup de finesse et une jolie couleur ; plutôt léger que consistant.
L'Angleterre retire les meilleurs crus. Les autres font partie des
vins fins qu'on demande dans le Nord et la Hollande. Les vins de
Cantenac sont aussi séveux et même plus que ceux de Margaux,
Saint-Julien et Pauillac ; mais ils ne sont pas en général aussi corro-
borés [corsés] ».
Lawton analysait ensuite les divers crus de Cantenac. Notons au
passage qu'il localisait déjà le château de Gascq à Margaux. Et que
son fruit était alors jugé exceptionnel.
Telle était la réputation, ancienne et attestée, du futur Château Palmer.

Wim van Gogh

Château Palmer

Le général Palmer

❦ La jeune veuve et le général.
Il était une fois un général anglais, beau,
plein d'allant, amateur de bons vins et ayant hérité d'une honnête fortune. Au cours d'un voyage de trois jours en diligence, entre Lyon et Paris, ce général rencontre une charmante veuve. Celle-ci lui apprend que feu son mari, décédé de fraîche date, possédait une des plus séduisantes propriétés qu'on eût vues dans les alentours de Bordeaux. La jeune femme se rend précisément à Paris pour vendre ce domaine qui risque d'être partagé, à son désavantage, entre les héritiers. Elle se trouve dans la nécessité de consentir une vente forcée, qui ne lui apportera que le quart de la valeur de son bien ! Or, prétend-elle, cette propriété, admirablement située pour produire de grands vins, est « la plus proche du château Lafite ». Aussi se trouve-t-elle en mesure de procurer une véritable fortune à « n'importe quel capitaliste ».

La légende raconte que, fasciné par la dame, le galant général lui offrit ses services pour la délivrer de ses soucis financiers. Quand la diligence arriva à Paris, le général Palmer était devenu propriétaire du domaine. Et qui sait s'il ne rouvrit pas pour l'élue de son cœur les fenêtres du logis qu'il lui avait acquis ?...

Hélas ! Cette jolie romance, relatée dans ses mémoires par le capitaine Gronow, contemporain du général Palmer, ne correspond qu'approximativement aux faits. Outre qu'une certaine distance sépare le château de Gascq de Lafite, rien ne nous permet d'accréditer le récit de cette idylle. Toutefois, le général a effectivement acheté à la jeune veuve le noyau du futur Château Palmer et agrandi celui-ci par acquisitions successives, s'il n'a pas vidé d'un coup dans l'heure, sa bourse pour un regard qui lui eût transpercé le cœur...

❦ Un grand rassembleur de terres.
Plus prosaïquement, le général Charles Palmer se
mit en relation avec les hommes d'affaires du Bordelais. Nous savons qu'il fut en rapport avec le négociant Paul Estenave, et qu'il procéda d'abord à l'acquisition d'un domaine à Cenon, situé sur la

38

Le château vu du vignoble.

rive droite de la Garonne auquel il donnera également le nom de Palmer.

En ce temps-là, à Bordeaux et en Médoc, les Britanniques sont nombreux, que ce soient les négociants des Chartrons ou les propriétaires anglais du Médoc installés depuis le XVIIIe siècle, comme les Brown et les Kirwan à Cantenac. Le général Palmer ne manque donc pas d'adresses où recueillir des informations.

En 1814, nombre de domaines viticoles, petits ou moyens, sont à vendre, victimes de la crise économique liée à la politique napoléonienne du Blocus continental. De surcroît, la Révolution ayant chassé les nobles de leurs terres, les milieux d'affaires bordelais ont pris le relais. Les confiscations révolutionnaires, si elles n'ont pas morcelé les grandes propriétés viticoles célèbres, comme Lafite, Margaux ou Beychevelle, ont en tout cas profité à nombre de négociants ou de banquiers, tel le marquis de La Colonilla, acquéreur de Château Margaux en 1806. Seul, le domaine de Latour demeure – mais en partie seulement – entre les mains des descendants des fondateurs, les Ségur. Lafite a été vendu à trois négociants d'Amsterdam, prête-noms de Vanlerberghe, un Français originaire de Douai, associé du célèbre financier Ouvrard. Le destin du château

Beychevelle, à Saint-Julien, est significatif ; l'ayant acheté sous la Révolution, une sœur du marquis de Brassier dut le revendre en 1800 à l'armateur bordelais Jacques Conte, lequel le céda à son tour en 1826 à Guestier, fameux négociant en vins des Chartrons. Un autre grand négociant bordelais, Barton, acquit vers 1815 le domaine de Langoa, à Saint-Julien, à la famille fondatrice des Pontet.

Le major général Charles Palmer a connaissance de ces opportunités. Arrivé à Bordeaux avec les troupes de lord Wellesley, futur duc de Wellington, il vient d'hériter, dit-on, d'une importante somme d'argent. À tout le moins dispose-t-il d'un crédit suffisant pour entreprendre une série d'acquisitions foncières dans la région de Margaux. L'originalité de son entreprise va consister non à acquérir un seul château viticole, mais à regrouper vignes et terres pour créer un vaste domaine auquel il attribuera son nom. À ce titre, il fut bien un fondateur et non un simple « repreneur ».

Dès le 16 juin 1814, il achète le domaine de Gascq à Marie Brunet de Ferrière, veuve de Blaise Jean Charles Alexandre de Gascq, pour la somme de 100 000 francs et moyennant une prestation annuelle et viagère de 500 litres de vin. Il verse 60 000 francs comptant. Une fois réglés les problèmes liés à la succession de

Mme veuve de Gascq, décédée le 17 juin 1826, il achève de se libérer de sa dette en janvier 1835. À vrai dire, dans les années 1790, le ménage de Gascq s'était dissocié ; Mme de Gascq, séparée de biens avec son mari, avait acquis, de ses propres deniers, en septembre 1790 et août 1791, le domaine de Gascq, situé à Issan, à la suite d'une longue licitation avec les héritiers.

C'est une importante propriété viticole comprenant maison de maître, logements des vignerons, cours, remises, celliers, cuviers, jardin, verger, vignes et droit de pacage dans les communaux. Elle s'étend sur la paroisse de Cantenac, où se tient le siège de l'exploitation, et sur celle de Margaux. Sans doute comprend-elle une soixantaine d'hectares, dont la moitié en vignes. Faute de précisions notariales, il est difficile d'apprécier la surface exacte du château de Gascq. Il s'agit, en tout cas, du noyau central des possessions du général.

Ce dernier ne cessera d'agrandir sa propriété viticole en y adjoignant terres et domaines voisins. De 1816 à 1831, ses achats se succèdent : en 1816, il acquiert le domaine de La Raze, à Cantenac, puis celui de Bélair, réparti notamment sur Cantenac et Margaux ; l'année suivante, le domaine du Roucaud passe entre ses mains. En quelque trois années, l'homme d'affaires britannique investit, en biens-fonds et surtout en vignes, la somme de 212 000 francs, soit plus de la moitié du futur ensemble. Il ne s'en tient pas là et, de 1820 à 1831, jette son dévolu sur des immeubles et des échoppes de vignerons, à Cantenac et à Issan, puis sur des pièces de landes qu'il fera défricher pour constituer le vignoble de Boston. Il acquiert les domaines de Monbrun et de Jean-Fort, enfin la vaste prairie du Rondeau, à Cantenac.

En dix-sept ans, c'est une somme considérable, 371 000 francs, que dépense le général Palmer. Il a dû parfois recourir à de lourds emprunts ; mais son crédit à Bordeaux, dans les années 1830, reste intact. Son domaine, le plus vaste de la commune de Cantenac, comporte environ 163 hectares. Bel exemple de concentration foncière, réalisée au détriment de possessions aristocratiques plus ou moins tombées en désuétude et de moyens domaines bourgeois mal gérés ou victimes d'une conjoncture économique défavorable.

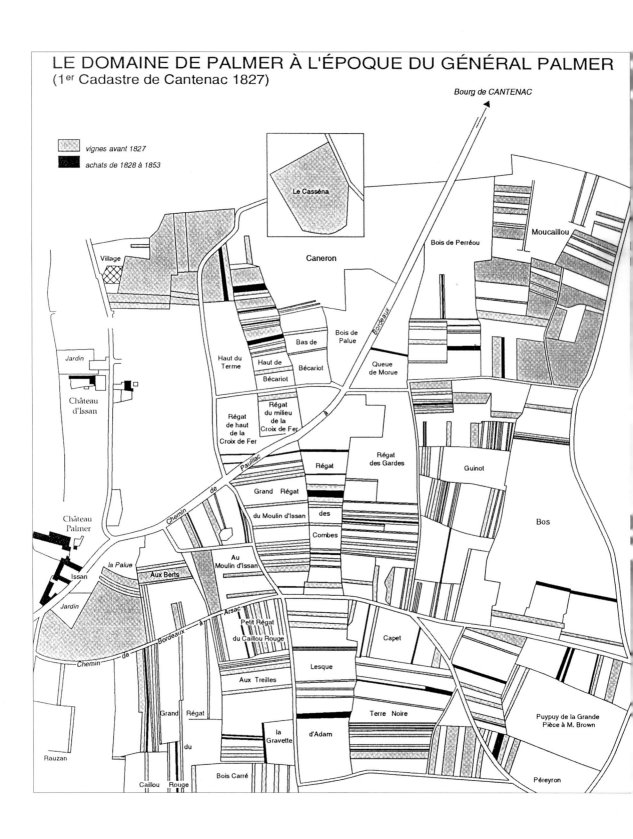

LE DOMAINE DE PALMER À L'ÉPOQUE DU GÉNÉRAL PALMER
(1er Cadastre de Cantenac 1827)

Bourg de CANTENAC

vignes avant 1827

achats de 1828 à 1853

Le Casséna

Village

Caneron

Bois de Perréou

Moucaillou

Jardin

Château d'Issan

Haut du Terme

Haut de Bécariot

Bas de Bécariot

Bois de Palue

Queue de Morue

Régat de haut de la Croix de Fer

Régat du milieu de la Croix de Fer

Régat des Gardes

Guinot

Régat

Grand Régat du Moulin d'Issan

des Combes

Bos

Château Palmer

la Palue

Aux Berts

Issan

Au Moulin d'Issan

Jardin

Arsac

Petit Régat du Caillou Rouge

Capet

Lesque

Aux Treilles

Grand Régat

Terre Noire

Puypuy de la Grande Pièce à M. Brown

Rauzan

du

la Gravette

d'Adam

Bois Carré

Caillou Rouge

Péreyron

PAGE PRÉCÉDENTE
**Plan du domaine
de Palmer à l'époque
du général Palmer,
(1ᵉʳ Cadastre de
Cantenac, 1827).**

L'exploitation viticole ainsi constituée souffre la comparaison avec son grand voisin, Château Margaux. Tout est en place pour l'élaboration d'un grand cru classé.

❦ Un entrepreneur moderne. Le vignoble lui-même s'étend sur près de 82 hectares et recouvre la moitié du nouveau fief. Il se répartit en deux grandes unités viticoles séparées par une distance de quatre kilomètres environ. La plus vaste se déploie autour de la demeure principale, centre du domaine, à Issan. Ce vignoble est cultivé par vingt prix-faiteurs, ce qui révèle son importance : à la même époque, le seigneur de Latour n'emploie que quatorze vignerons. Le général n'a pas lésiné sur l'équipement : un imposant cuvier composé de quinze cuves de chêne cerclées de fer, d'une contenance de 73 hectolitres chacune peut recevoir une récolte de plus de 1 000 hectolitres. L'Anglais voit grand ! On dénombre également trois fouloirs, trois « gargouilles » cerclées de bois, seize cuveaux pour transporter la vendange et une échelle à roulettes pour monter la vendange dans les cuves. À quoi s'ajoutent des comportes cerclées en fer, des entonnoirs et des cannes garnies en fer. Ces récipients gradués servent à verser le vin nouvellement écoulé dans les barriques neuves en chêne merrain. Autre précision, et non des moindres, puisqu'elle concerne la culture des terres : à la différence des autres grands domaines qui effectuent les labours avec des attelages de bœufs, Palmer utilise les chevaux.

Le général Charles Palmer, résidant à Londres, ne pouvait diriger lui-même les travaux de son vignoble. Il semble bien, si on en croit le témoignage du capitaine Gronow, que le général, « conscient de son inaptitude aux affaires viticoles », ait confié la gestion de son patrimoine médocain à un « agent d'affaires actif », londonien de surcroît, Mr. Gray. Ce personnage passait pour avoir de l'entregent, mais guère de compétence. A-t-il lancé le général, comme on l'a prétendu, dans des spéculations hasardeuses qui se seraient révélées catastrophiques ? Nul ne le sait.

Quoi qu'il en soit, bon commerçant grâce à ses nombreuses relations, Gray constitua pour le vin du général une importante clientèle d'amateurs fortunés. Le « *Palmer's claret* » devint un produit recherché par les clubs londoniens. Gray et Palmer jouirent même des faveurs du prince régent d'Angleterre. Celles-ci, hélas, allaient se retourner contre leurs bénéficiaires.

🍇 Un dîner chez le prince.

Soucieux de promouvoir le claret de son

fidèle sujet et afin de lui assurer une bonne publicité, le régent eut
un jour l'idée de donner un dîner aristocratique à Carlton House, à
Londres. Parmi les convives figurait Lord Yarmouth, connu à

Doloires, serpes,
marteaux, scies,
robinets, etc.

l'époque sous le nom de « Red Herrings » à cause de la couleur rubiconde de sa chevelure et de son visage, et aussi parce que le port de Yarmouth était la base principale de ses importations de harengs (herrings). Sir William Knighton, Sir Benjamin Bloomfield et Sir Thomas Tyrwhitt, tous fines gueules, participaient à la réception.

Le vin du général Palmer, généreusement servi, fut jugé excellent. Le prince régent exprima sa satisfaction et se déclara charmé de son bouquet, qu'il compara à « un baiser ». Seul, Lord Yarmouth observait un silence pesant. Comme on l'interrogeait sur sa réserve, il répondit que d'ordinaire, à la table de Son Altesse Royale, il buvait un claret qu'il préférait de beaucoup à celui-là. Ce vin était fourni par Carbonnel. Pour donner à ses invités l'occasion de découvrir la différence, le prince en commanda immédiatement une bouteille, qu'on servit avec quelques sandwiches aux anchois – ce qui, pour tuer le goût, est radical !

Le claret de Carbonnel était préparé expressément pour le marché de Londres ; il était peut-être mélangé avec de l'Hermitage, et correspondait mieux au goût des Anglais que le « délicat bouquet du claret » qu'ils venaient de boire.

Le dîner terminé, le prince déclara que le vin de Carbonnel était supérieur à celui de Palmer, à la grande consternation de celui-ci. Il suggéra même au général de tenter quelques essais dans son domaine pour produire *a better wine* ! Palmer quitta Carlton House « très mortifié ». Sir Thomas Tyrwhitt, le raccompagnant, prétendit pour le consoler que les anchois avaient altéré le goût des connaisseurs. Le général répondit assez haut pour être entendu par Lord Yarmouth qu'il n'en était rien, et que tout était la faute de ce « maudit Red Herrings ». Selon Gronow, l'affaire se termina par un duel entre Charles Palmer et Lord Yarmouth, dont nous ne connaissons pas l'issue...

L'anecdote, piquante, paraît vraisemblable. Le claret à l'anglaise, c'est-à-dire mélangé à des vins généreux de l'Hermitage ou de Beni Carlo, en Espagne, était encore proposé à leurs clients par nombre de négociants bordelais et britanniques ! Ce qui semble en revanche peu probable, c'est que le général Palmer, suivant les

conseils du prince, ait arraché ses vieilles vignes, planté de nouvelles, tenté toutes sortes d'expériences fort coûteuses pour de
piètres résultats, comme le prétend Gronow. En l'absence de tous
renseignements sur la gestion de Château Palmer, il vaut mieux se
garder d'accorder le moindre crédit aux assertions du mémorialiste.

❦ L'organisation du travail à Palmer.
En revanche, on sait à peu près comment
était géré le vignoble de Château Palmer à l'époque du général.
Celui-ci avait confié ses intérêts en Médoc à un mandataire résidant à Bordeaux, le négociant Paul Estenave, sans doute successeur d'un nommé Belloguet.

Les travaux du vignoble et sa production dépendaient de la responsabilité d'un régisseur. Jean Lagunegrand, originaire de Cantenac, dirigeait un personnel important de quarante à cinquante
personnes. Lagunegrand était-il compétent ? Sa gestion fut-elle
honnête ? Il était seul responsable, tandis que le propriétaire vivait
bien loin de Cantenac, sans qu'on sût s'il visitait régulièrement son
domaine. En raison des importants frais fixes du vignoble, le bon
équilibre financier de l'entreprise reposait sur la quantité de la production et sur la cotation des grands vins de Palmer. Furent-elles
l'une et l'autre suffisantes pour dégager des bénéfices ? Il ne le

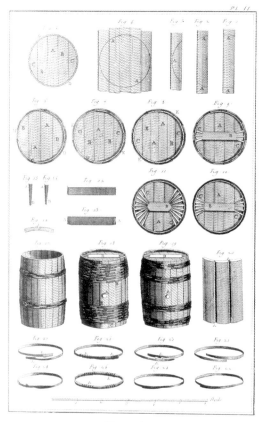

Planches extraites de *L'Encyclopédie* de Diderot et d'Alembert (1762).

semble pas. L'on sait de façon sûre que la première décennie d'exploitation dont on a retrouvé la trace écrite, qui va de 1831 à 1840, fait apparaître une réelle fragilité économique. Un rendement annuel bien faible, des conditions économiques défavorables à l'exportation... Résultats laborieux, années « fort disetteuses », pour employer le vocabulaire de l'époque, malgré les « trois glorieuses » – en quantité de production – que furent 1836, 1837 et 1840, et en dépit d'une cotation générale nettement supérieure à celle du XVIIIe siècle. 1831 s'avère désastreux pour tous les grands crus médocains, quoiqu'ils fussent estimés excellents et corsés par les Britanniques, toujours en quête de vins colorés et au corps puissant ; les grêles de 1833 apportèrent de la verdeur ; 1835 fut jugé sans classe ; 1838, amer et sans moelle...

Dans la décennie suivante, 1841-1850, il faut distinguer les trois premières années, car elles correspondent aux dernières récoltes produites sous les ordres du général Palmer : en effet, en 1843, celui-ci vendit son domaine.

Le millésime 1841 associa grande abondance et très bonne qualité. En décembre de cette année-là, Lawton portait un jugement favorable : « Les vins rouges de la récolte dernière, écrivait-il, ont une fort bonne couleur, bon goût, parfaitement franc et net, point de verdeur marquée et plus de consistance que nous n'en avons d'abord trouvé dans les années précédentes ; mais ils sont tous au fond un peu fermes. » Il ajoutait : « Nous aurons certainement dans les vins rouges de 1841 un ensemble de qualité de grande année, mais dans le cas à craindre de persistance dans le fond de fermeté, que nous leur reconnaissons aujourd'hui, nous pensons que nous pourrons toujours les présenter comme très bons marchands et convenables pour plusieurs marchés. »

Château Palmer sut profiter des circonstances, puisqu'il vendit sa récolte 1841 en primeur à 1 650 francs le tonneau – le meilleur résultat depuis fort longtemps. Plusieurs de ses concurrents se situent en retrait et vont le rester. Les seconds ne brillèrent guère ; ils cotèrent en général 1 400 francs, y compris Mouton. Latour se tint au cours modeste de 1 800 francs. Seul Lafite réussira l'exploit, en avril 1844, de vendre les 105 tonneaux de sa récolte de 1841 à 5 500 francs l'unité.

La récolte de 1842 fut peu abondante et de qualité ordinaire. En octobre, un courtier, Tastet, notait : « J'ai trouvé les vins peu goûtables. Ils sont légers, agréables ; mais le goût est avancé et la

Une des ruelles
du château.

couleur faible. J'espère un peu, mais je crains le fond. »

Lawton persista dans son opinion peu favorable. Bref, ni négociants ni courtiers n'étaient satisfaits des vins nouveaux.

Les cotations se ressentirent de ces réserves. Château Palmer commercialisa sa récolte de 1842 au modeste cours de 625 francs. Ses pairs obtinrent une légère augmentation, mais souvent à l'issue de ventes retardées de deux à quatre ans.

Enfin, le millésime 1843 se révéla bien décevant sous tous les rapports : mince en volume et mauvais en qualité. Il suscita un jugement des courtiers défavorable. Tastet écrivit : « Je trouve de la verdeur et peu de corps. » Lawton estime les vins « *bad* ».

À parcourir les cotations, on a l'impression que la hiérarchie des valeurs a disparu. Château Palmer ne vendit sa maigre récolte de 1843 qu'en avril 1847, au faible cours de 450 francs le tonneau. Seul Château Margaux, en septembre 1848, parvint à 1 000 francs. Lafite cota 800 francs et Mouton 600.

Au total, comme d'habitude, les millésimes manqués traduisent l'égalité dans la débâcle.

PAGE PRÉCÉDENTE
**Les Esquives
(bouchons de côté
des barriques) sont
« habillés » de jonc
afin de faciliter la
jointure avec le bois.**

❦ Grandeur et décadence.
C'est dans ces circonstances que se déclara la
faillite des affaires du général Palmer sur la place de Bordeaux.
À lire les documents juridiques de 1843-1844, on mesure l'ampleur
de son endettement. Parmi ses créanciers français, dont le nombre
s'était accru, figurait le plus redoutable : la Caisse hypothécaire de
Paris. Sans doute les emprunts multiples du général n'avaient-ils
pas été tous remboursés. Les revenus médiocres du château médocain ne permirent pas de combler les dettes accumulées et précipi-
tèrent sa chute.

Avait-il réellement tenté, après le malheureux dîner chez le prince
régent, toutes sortes d'expériences, immensément coûteuses et
sans résultats tangibles ? Les mauvais conseils de son homme de
confiance à Londres, Gray, furent-ils à l'origine de sa ruine ? Toujours est-il que le général et son conseiller durent recourir aux usu-
riers, à des assurances vie et à toutes sortes d'expédients pour
trouver des fonds. Il semble même, selon les archives judiciaires
bordelaises, que l'épouse du général, Mary-Elizabeth Atkins, ait
pris le 26 mars 1834 une inscription hypothécaire sur les biens de
Palmer, à la suite d'un jugement prononcé en sa faveur par le tribunal de Bordeaux.

La déconfiture du général Palmer fut totale en Angleterre. Selon le
capitaine Gronow, il dut vendre le théâtre de Bath, célèbre station
balnéaire de l'époque. La réforme du Parlement lui fit perdre son
siège de député. On aurait même envisagé de lancer une souscrip-
tion pour le sauver de la banqueroute. Mais, si l'on en croit le capitaine Gronow, Palmer préféra finir ses jours dans la pauvreté !
D'ailleurs, l'accumulation de trop lourdes dettes conduisit le général devant le tribunal des insolvables, c'est-à-dire qu'il fut poursuivi
en justice. Ainsi – grandeur et décadence – s'acheva l'entreprise
médocaine du général Palmer. Mais, si l'homme périclita, le
domaine allait bientôt renaître de ses cendres...

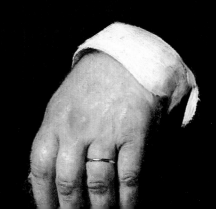

❦ Une transition douloureuse. Bien que dans une situation critique, le Château Palmer ne s'en trouvait pas moins extrêmement convoité. Après le départ de son fondateur, s'instaura une véritable bataille juridique.

Paul Estenave, ancien négociant bordelais, mandataire de Charles Palmer, vendit tout d'abord le domaine, le 12 janvier 1843, à la « demoiselle Françoise-Marie Bergerac ». La vente s'élevait à 284 400 francs, y compris 10 400 francs de frais de culture dus à Jean Lagunegrand, homme d'affaires du général, si bien que Château Palmer était estimé à 274 000 francs. Cette somme, rapprochée des investissements récents du général, constituait une perte de 26 %, qui confirmait l'échec du général.

Le mandataire, Paul Estenave, et l'acheteuse, Mlle Bergerac, vivaient maritalement à Bordeaux. Françoise-Marie Bergerac était qualifiée de « propriétaire, rentière, sans profession ». On peut se demander si, voulant conserver le château dans le patrimoine du général, Paul Estenave n'avait pas utilisé l'acheteuse comme prête-nom... Simple hypothèse.

Le 28 avril 1843, conformément à la loi, la « demoiselle » notifia son acquisition aux créanciers inscrits. Or, parmi ces derniers, se trouvait la Caisse hypothécaire dont le siège était à Paris. Celle-ci lança une surenchère que le tribunal de première instance de Bordeaux déclara bientôt recevable.

Toutefois, Mlle Bergerac, sans doute conseillée par Paul Estenave, interjeta appel du jugement du tribunal de première instance, d'autant que le domaine de Château Palmer se trouvait mis sous séquestre. Mais la cour royale de Bordeaux, dans son arrêt du 3 janvier 1844, déclara l'appel non recevable. En conséquence, le tribunal ordonna la vente par adjudication à l'audience des criées, le jeudi 29 janvier 1844.

Palmer fut adjugé pour la somme de 312 840 francs, montant de la mise à prix, à la Caisse hypothécaire de Paris qui conservera le domaine pendant dix ans.

Jean Lagunegrand resta-t-il comme homme d'affaires, responsable

de gestion ? Nous l'ignorons. Le nouveau propriétaire du grand cru médocain réalisa-t-il une opération fructueuse ? Rien n'est moins sûr. D'abord, la vente de la récolte de 1843 s'avéra largement déficitaire. Puis, de 1844 à 1853, les récoltes de Palmer furent plutôt minimes en volume. La moyenne annuelle s'élève à 62 tonneaux, soit 550 hectolitres pour 80 hectares de vigne environ. Consacrant une légère baisse par rapport à la période antérieure, aucune récolte n'atteignit 100 tonneaux ; la plus fournie, celle de 1847, assure 90 tonneaux. La plus mince, celle de 1853, n'en produisit que 30, soit le tiers. Peut-être que déjà se manifestaient les premiers symptômes de l'oïdium, la « maladie de la vigne ».

Le prix moyen du tonneau de Palmer, pour 6 récoltes dont nous avons retrouvé les cotations, atteignit 818 francs environ. Performance honorable, mais sans doute majorée du fait de l'absence de quatre prix de vente. Le maximum fut obtenu avec la vente de la récolte de 1851 qui atteignit 120 000 francs.

Château Palmer : alignement des barriques dans le chai de vin nouveau.

Les rosiers au pied des vignes sont les meilleurs auxilliaires des vignerons car ils le préviennent de l'arrivée de l'oïdium.

En 1844, année où la Caisse hypothécaire entra en possession de Château Palmer, l'abondance resta moyenne dans les communes de Cantenac et Margaux, contrairement à l'ensemble médocain, qui se révéla plus fourni. À Palmer, on écoula seulement 60 tonneaux. Lawton notait « qu'il fut apprécié d'abord comme une très grande année ; restée bonne seulement ».

Elle contrastait toutefois avec la fâcheuse récolte précédente, et déclencha un enthousiasme général sur la place de Bordeaux. Écoutons le raisonnement de Tastet, daté du 18 novembre 1844 : « Il est presque superflu de venir vous entretenir des vins de la dernière récolte 1844. L'importance des achats opérés, la promptitude avec laquelle on les a effectués, les prix accordés aux vins classés attestent assez l'impression favorable produite par les diverses dégustations qu'on a faites depuis les vendanges [...] Les vins réussis, en Médoc, se présentent avec une belle couleur vive et brillante, de la chaleur, du bouquet, un goût distingué, net et délié malgré l'enveloppe et dans toutes les classes se montrent pourvus de beaucoup d'agréments. Toutes les communes présentent des vins réussis. Cantenac, Margaux, Saint-Julien et Pauillac se distinguent parmi les paroisses fines. »

Aussi les cotations flambèrent-elles. Palmer vendit ses 60 tonneaux de 1844 au prix de 1 500 francs l'unité, mais en 1849 seulement : il n'avait pas participé à la campagne en primeur, sans doute par suite du changement de propriétaire. En revanche, ses pairs médocains vendirent leur récolte 1844 en octobre ou novembre de la même année, et à des prix plus élevés.

Cette embellie des cours ne se reproduisit pas l'année suivante, qui cumula le double désavantage d'un très faible volume et d'une très mauvaise qualité. Les propriétaires vendangèrent tardivement et sous la pluie ; la pourriture grise se développa. Tastet, à la mi-décembre, déclarait : « Nos vins rouges de 1845 manquent de consistance, de corps et de couleur, et ils ont un fond de verdeur qui demeure le caractère de l'année. »

Dans ces conditions, la hiérarchie des prix s'effondra à des cotations misérables. Palmer céda sa récolte, en novembre 1846, à 310 francs le tonneau, cours le plus faible de sa longue histoire. Ses pairs ne firent guère mieux.

❦ L'ère de l'oïdium. En 1852, l'oïdium sévissait dans tout le Médoc. Toutefois, notait Lawton, « les craintes plus ou moins fondées que l'on peut avoir pour nos vignobles l'an prochain par suite de la maladie qui les menace, n'ont eu presque aucune influence sur les acheteurs et les vendeurs, la position ayant décidé des affaires ».

Le millésime 1853 se ressentit des atteintes de l'oïdium, comme le prouve son volume très réduit. Palmer ne produisit que 30 tonneaux de grand vin. Le bureau Tastet-Lawton signalait, en

novembre, la « violence » de l'oïdium dans certaines localités ; en outre, « les pluies fréquentes qui favorisaient la maladie contrariaient la maturation des raisins, et l'on a été obligé de ramasser une vendange qui laissait généralement beaucoup à désirer sous le rapport de la maturité ». Dans les endroits les plus atteints, précisait-il, « on a abandonné toute la récolte sur pied ». La qualité du nouveau millésime n'offrait guère de satisfaction : « Les vins rouges de 1853 ont généralement une couleur moyenne. Ils sont partout atteints de verdeur et manquent de corps. »

Ce petit millésime se montra difficile à vendre, tout au moins pour les crus classés. Lawton sous-entendait que le marché des grands vins allait être bouleversé par l'oïdium : « La petite quantité des vins de 1853, la réduction de la production dans presque tous les autres vignobles, la chance probable de voir la maladie se propager plus fortement l'an prochain, si elle suit malheureusement dans nos contrées la marche qu'elle a eue dans les autres pays, les besoins de la consommation, tout assure l'emploi forcé des vins de cette année malgré l'infériorité de la qualité. »

Cinq autres troisièmes crus ne purent vendre cette malheureuse récolte qu'en décembre 1856, et à des prix modestes.

Ainsi, en 1853, le Médoc entrait dans l'ère de l'oïdium. C'est alors que Château Palmer changea encore de mains.

❧ Une « *success story* » à la française.

Le 9 juin 1853, la Caisse hypothécaire de Paris vendit le domaine de Château Palmer, avec ses 83 hectares de vigne, aux banquiers parisiens Émile et Isaac Rodrigues Pereire, pour la somme principale de 419 000 francs. Ainsi, le vendeur réalisait une plus-value de 97 160 francs, soit 31 % environ de son acquisition de 1844. L'affaire ne paraît pas mauvaise, compte tenu des résultats médiocres de l'exploitation Palmer depuis une dizaine d'années, et des risques que faisait peser sur le vignoble l'invasion de l'oïdium. Le 28 juillet, Isaac Pereire fit signifier, par voie d'huissier, son acquisition à « Madame Mary-Elizabeth Atkins, épouse de M. Charles Palmer, major général au service de Sa Majesté

13. MARGAUX — Château Palmer - BR - 33

Carte postale de la fin
du XIXe siècle montrant
la façade nord
du château.

James de Rothschild,
l'ami, puis le rival.
Photographie
de Disderi.
*Musée Carnavalet,
Paris.*

PAGE PRÉCÉDENTE
**Le vignoble de Palmer
vu des toits du
château.**

britannique, demeurant à Londres ». Rappelons que l'épouse du
général Palmer disposait d'une inscription hypothécaire sur les
biens médocains de son mari !

La présence des Pereire en Médoc, à la tête du Château Palmer,
symbolise une époque, le Second Empire, marquée par l'essor économique du pays et par l'enrichissement inouï des grands hommes
d'affaires. Parmi les meneurs de jeu, les banquiers occupent une
place à part ; ils centralisent l'épargne et l'investissent dans un véritable tourbillon d'affaires.

L'aventure des frères Émile et Isaac Pereire étonne. Alors que les
Rothschild, bientôt propriétaires en Médoc, sont les héritiers d'une
ancienne et très solide fortune familiale, les frères Pereire font
figure de nouveaux riches. Nés à Bordeaux – l'aîné, Émile, en
1800, son frère Isaac en 1806 –, ils descendent d'une famille juive,
d'origine portugaise, immigrée à Bordeaux en 1741. Leur grand-
père Jacob a laissé le souvenir d'un homme généreux, voué à la
cause des sourds-muets.

Émile et Isaac, jeunes israélites pauvres, « montent » à Paris vers
1825. D'abord commis chez les Rothschild, en l'occurrence à la
banque dirigée par le baron James, ils vont fréquenter les milieux
saint-simoniens qui les marquent de leur empreinte affairiste et
humanitaire. Les voici dans les couloirs de la Bourse, s'immisçant
dans le monde des affaires, en pleine monarchie de Juillet. Dans le
même temps, ils écrivent d'innombrables articles dans la presse
parisienne, traitant avant tout de questions économiques, prônant
une nouvelle politique financière fondée sur un crédit à taux plus
réduit que celui que consent la Banque de France. Très rapidement,
ils s'intéressent au nouveau moyen de transport, le chemin de fer.
Dès 1835, Louis-Philippe leur concède la construction d'une ligne
de Paris à Saint-Germain-en-Laye. Une compagnie est créée avec la
Banque parisienne et le baron James de Rothschild. Émile Pereire
devient le directeur de cette entreprise ferroviaire, la première en
France. Le 24 août 1837, la voie ferrée est inaugurée en grande
pompe. Et, en 1842, on met en service la gare Saint-Lazare...

L'engouement des Pereire pour les chemins de fer ne va plus ces-
ser. La loi du 11 juin 1842, véritable charte ferroviaire, définit le

En médaillon,
au-dessus de la porte
du château, le chiffre
d'Isaac Pereire.

cadre et les moyens du futur réseau français. En 1845, les Rothschild se voient attribuer la Compagnie du Nord ; Émile Pereire se hisse à la tête de cette puissante compagnie.

Dans les toutes premières années du Second Empire, si les Pereire échouent dans leur pénétration du futur PLM, chasse gardée de Paulin Talabot, ils deviennent les maîtres incontestés de la Compagnie du Midi, créatrice du Bordeaux-Bayonne et de la voie ferrée du Bordeaux-La Teste, prolongée jusqu'à la station balnéaire d'Arcachon – ville nouvelle qui est, au sens plein du mot, leur œuvre. Après la crise révolutionnaire de 1848, le prince-président Louis-Napoléon-Bonaparte, futur Napoléon III, arrive au pouvoir. Les Pereire le soutiennent d'emblée, plus nettement que les Rothschild. Dès lors ils constituent un véritable empire financier. En février 1869, leur fortune s'évalue à 200 millions de francs-or : une somme plus considérable que les fonds personnels du baron James de Rothschild !

Leurs multiples entreprises reposent sur la création d'une société, la Société générale du Crédit mobilier, bénéficiant de l'aide efficace du nouveau régime politique. Maîtrisant une nouvelle forme de crédit ouvert à la petite épargne et susceptible de soutenir le commerce, l'industrie et les travaux publics, les Pereire instaurent une nouveauté en s'alliant à tous ceux qui veulent faire contrepoids à la « haute banque », restée orléaniste. Le baron James de Rothschild refuse, avec hauteur, toute participation nominale au Crédit mobilier. Une sourde hostilité naît entre les Pereire et les Rothschild.

Outre les chemins de fer français et européens, les Pereire investirent dans l'immobilier. Ils participèrent activement à la politique urbaine d'Haussmann, acquirent d'innombrables terrains, bâtiments, hôtels, notamment dans le XVIIe arrondissement de Paris, et contribuèrent enfin à la rénovation de Marseille.

❧ Des sardines Palmer !
En 1861, les Pereire fondent la Compagnie

générale transatlantique, et se lancent dans l'aventure des grands voyages maritimes. S'intéressant aussi aux activités portuaires, ils achètent à Concarneau, dans les années 1856-1857, deux conserveries en faillite et créent une nouvelle usine de conserves de sardines dans le quartier de la Croix, baptisée Palmer. Ainsi les grands vins de leur domaine de Cantenac et les sardines de Concarneau se vendent sous la même marque : Palmer !

L'intérêt de ces grands brasseurs d'affaires pour le Château Palmer, une goutte d'eau dans l'océan de leur fortune, ne peut se comprendre que par référence à leur origine bordelaise et à leurs vastes acquisitions foncières sur la côte atlantique. Après avoir créé la station balnéaire d'Arcachon, où ils possèdent le fameux chalet Pereire, seize villas et les deux vastes domaines qui vont devenir le parc Pereire, la ville d'hiver et le casino mauresque, Émile Pereire s'intéresse à l'assainissement des Landes de Gascogne. Vers 1852, il achète près de 9 000 hectares de landes, situés dans quatre communes proches du bassin d'Arcachon : Lanton, Audenge, Biganos et Mios. Ce vaste domaine de landes incultes a été cédé par le comte de Tracy, la comtesse de Clermont-Tonnerre et Mme d'Equevilly, qui ont réalisé là une transaction juteuse. Peu après, les Pereire portent leur dévolu, à Sainte-Eulalie-en-Born, au sud de l'étang de Parentis, sur le domaine de Coq. En 1857, au Teich, ils augmentent leur patrimoine landais de près de 2 000 hectares. Ainsi, leur propriété totalise-t-elle quelque 11 000 hectares : une surface comparable à celle du domaine impérial de Solférino ! Pour gérer leur vaste patrimoine forestier landais, les Pereire ont créé, en 1858, la Société Pereire, au capital de 18 millions.

🐛 Les Pereire à Palmer.

Donc ces brasseurs d'affaires, amoureux de la région bordelaise, d'Arcachon et de sa forêt de pins, dont l'air salubre est propice au traitement de l'asthme dont souffre Émile, s'offrent le plaisir de posséder château et cave en Médoc. À Palmer, Émile souhaite se reposer des réceptions fastueuses qu'il donne dans son hôtel parisien du faubourg Saint-Honoré et dans son château d'Armanvilliers – proche, notons-le, de celui de Ferrière qui appartient aux Rothschild.

Fortuitement ou non, la compétition vigoureuse entre les Pereire et les Rothschild se retrouve en Médoc. En effet, le 10 mars 1853, soit une huitaine de jours avant qu'Émile Pereire ait entrepris les premières négociations avec la Caisse hypothécaire de Paris pour acheter Château Palmer, le baron Nathaniel de Rothschild, de Londres, fait l'acquisition de Mouton, à Pauillac. La banque Rothschild de Paris assurera, jusqu'aux années 1870, la gestion de Mouton, devenu Mouton-Rothschild.

Le baron James de Rothschild, à son tour, va s'installer à Pauillac, puisqu'il achète en 1868 Château Lafite, pour la somme considérable

de 4 800 000 francs. Le féroce affrontement entre les Rothschild et les Pereire se poursuit...

À vignoble distingué...
Émile et Isaac Pereire se préoccupèrent en premier lieu de construire une nouvelle habitation à Palmer, plus confortable que l'ancienne maison de maître du général Palmer. En effet, dans les années 1856-1857, l'architecte bordelais Burguet construisit la résidence actuelle. L'édifice comporte un simple corps de logis à deux étages. Quatre tourelles d'angles pointues et coniques, couvertes d'ardoises, entourent un toit percé d'une fenêtre à meneaux et de petites lucarnes. Deux rangées de hautes fenêtres et une porte vitrée, ouvrant sur les pièces et salons du rez-de-chaussée, éclairent la façade qui donne sur la route de Bordeaux à Pauillac. Au linteau des deux fenêtres d'angle, des médaillons décorés de branches de vignes et de grappes de raisins portent, enlacées, les initiales de leurs propriétaires. Le Château Palmer est entouré de pelouses fleuries du côté de la façade principale, et d'une cour intérieure, plantée d'arbres sur une large pelouse.

Château Palmer :
le pigeonnier.

PAGE SUIVANTE
Une porte de
la tourelle ouest.

L'ameublement intérieur, dont le détail n'est pas connu, fut vendu en 1938. Le style architectural du château frappe par son élégance. Alfred Danflou, dans son ouvrage consacré aux grands crus bordelais, paru en 1867, évoque « la belle façade de Palmer, si coquette, si gracieuse, qui le fait ressembler à une villa des environs du lac de Côme ». Il ajoute : « Regardez Palmer, et vous direz avec nous : "Voilà une habitation digne de loger un grand vin." » À vignoble distingué, magnifique château !

Dès 1853, les Pereire s'attachent à la réorganisation de leur domaine et à la réfection partielle de leur vignoble. Ils en confient l'administration à un nouveau régisseur, M. Lefort. Celui-ci fut sans doute un technicien remarquable : on vantait, à l'époque, sa compétence en matière viticole et œnologique. En 1867, le courtier Armand Tastet, dans un rapport sur Pontet-Canet, citait Lefort parmi les meilleurs spécialistes viticoles du Médoc. Vraisemblablement, il dut entreprendre la restauration de plantiers affaiblis par la négligence de son prédécesseur et par la maladie nouvelle de la vigne.

Les frères Pereire assurèrent la pérennité de Palmer en l'intégrant, en 1857, dans la Société civile universelle Pereire. Après le décès

d'Émile en 1875, et celui de son frère Isaac, en 1880, leurs héritiers prorogèrent la société civile à plusieurs reprises, puisqu'elle existait encore en 1938, lors de la vente du château.

Les achats ou échanges de parcelles arrondirent le vignoble tout en améliorant son assiette, notamment aux Brauzes. L'acquisition la plus importante fut, dans les années 1890, celle de la propriété de Port-Aubin, à Cantenac, d'une superficie de 34 hectares environ. Dans ces terres de palus fut planté un vignoble de 28 hectares. Bien entendu, les vins produits ne se vendirent pas sous l'étiquette Palmer.

Il semble qu'à la même époque, les parcelles dites des Solles furent achetées et plantées en vignes. Au total, dans les années 1920, le domaine de Palmer s'étendait sur près de 190 hectares, dont 120 en vignes, représentant alors le plus grand vignoble de Cantenac-Margaux. De plus, le 23 juin 1932, la Société civile Pereire acquit cinq petites parcelles de vignes, détachées du domaine de Boyd-Cantenac, d'une surface de 16 ares.

Selon Jean Autin, historien des frères Pereire, Émile Pereire se plaisait à Palmer. Il y fit de nombreux séjours, surtout à partir des années 1868-1870. Après la déconfiture partielle du Crédit mobilier, en 1867, et de nombreuses autres entreprises des Pereire, Émile résida souvent dans sa villa d'Arcachon, proche de son château. Sa famille également. Autre témoignage de l'attachement des Pereire à leur domaine : ils le conservèrent jusqu'en 1938, alors même que le patrimoine familial, après la mort des fondateurs, était sérieusement amoindri par la vente forcée de nombreux biens en région parisienne.

❦ La grande crise.
Jusqu'en 1860 environ,
le vignoble de Palmer, dont la remise en état battait

son plein, subit de plein fouet la crise de l'oïdium.

Cette maladie cryptogamique sévit avec violence pendant près de dix ans, durant lesquels les viticulteurs impuissants virent leurs récoltes diminuer fortement. À l'échelle du vignoble médocain, on

Château Palmer :
la cour
des marronniers.

peut estimer que la perte due à l'oïdium représenta au moins deux récoltes sur cinq.

À Palmer, on récolta en huit ans, de 1853 à 1860, 240 tonneaux en tout, soit une moyenne annuelle de 30 tonneaux. Ce bien médiocre bilan représentait 42,5 % seulement de la moyenne décennale précédente. La récolte la plus faible fut celle de 1854 où on n'écoula que 14 tonneaux de grand vin. Le rendement à l'hectare en devint dérisoire. En 1858 on réussit à écouler 78 tonneaux tandis que, en 1860, Palmer en produisit 58. Ces deux récoltes avaient moins souffert, car un été chaud et sec avait réduit l'offensive du champignon parasite, l'oïdium Tuckeri.

Pendant deux ou trois ans, les viticulteurs, totalement désemparés, tentèrent les traitements les plus farfelus sans aucune efficacité. Puis, en 1855, la solution du soufrage des vignes fut découverte et expérimentée sur certains domaines, tels que Giscours, à Labarde, et Lagrange, propriété du comte Duchâtel, à Saint-Julien. Pourtant, jusqu'aux années 1860, la majorité des viticulteurs refusèrent d'employer la « fleur de soufre ». Cette attitude surprenante

s'explique par l'axis défavorable du négoce et du courtage bordelais. Les acheteurs prétendaient que ce procédé donnait un « goût de soufre » aux grands vins. On qualifia par exemple les vins de Lagrange de mauvais, car ils « sentaient le soufre » ! C'était évidemment inexact. Peu à peu, l'opinion évolua et le soufrage des vignes se généralisa à partir des années 1860. Mais on avait perdu beaucoup de temps et d'argent !

Conséquence inattendue : la hausse – durable – des cotations des grands vins. Le marché britannique notamment, effrayé par la diminution inexorable de la production des grands vins du Médoc, se montra prêt à payer de plus en plus cher les rares volumes mis en vente. Les négociants et propriétaires ne manquèrent pas de profiter de la situation pour pousser les cotations à des taux jamais atteints jusque-là. En outre, le développement de la politique économique libre-échangiste du Second Empire favorisa les choses, en diminuant les droits de douane.

Revenons à la modique récolte de 1854, à marquer d'une pierre blanche. Lawton note : « Les vins de choix du Médoc ont une très

Château Palmer : aile
de l'horloge.

vive et très belle couleur ; ils ont un goût mûr, fin, distingué et ils
promettent une sève et un bouquet abondants. » Bref, à défaut
d'une production importante, on tenait un grand millésime. Le
marché, comme en témoigne le courtier, connut alors une anima-
tion extraordinaire : « Le feu est partout ; les propriétaires sont très
exaltés ; ils font les demandes les plus folles. La quantité est
réduite à un point qu'il n'y a pas eu d'exemple. De là des achats
beaucoup plus tôt qu'on ne l'aurait pensé. D'un autre côté, les
mêmes raisons ont rendu les propriétaires de plus en plus difficiles,
de telle sorte que les prix se sont excessivement élevés et que les
chais à vendre ont aujourd'hui des prétentions relativement plus
élevées que les prix obtenus par les chais vendus. »

Dans cette euphorie commerciale, Palmer réussit un exploit.
Il vendit, en novembre de la même année, les 14 tonneaux de sa
récolte à 4 000 francs le tonneau, ce qui entraîna une rentrée potentielle de 56 000 francs. Il dépassait ainsi largement ses pairs médocains ; dans l'ensemble, les troisièmes crus atteignirent le prix
moyen, remarquable, de 2 815 francs.

Château Palmer :
une salle d'accueil.

Ce cours exceptionnel plaçait Palmer au niveau des meilleurs seconds crus. Palmer égala Rauzan-Gassies, Durfort-Vivens, Léoville-Lascases, Gruaud-Larose, Ducru-Beaucaillou, Montrose. Cette embellie des cotations allait se maintenir par la suite.

❧ L'affaire du classement de 1855. Il n'est pas sûr, en revanche, que le classement des grands crus de Médoc de 1855 favorisa les cotations de Château Palmer.

La liste du 18 avril de cette année-là fut une simple officialisation d'une situation déjà ancienne. Avant cette date, de nombreux auteurs, tels que Jullien, William Franck, Paguierre et Le Producteur avaient proposé un classement des grands crus médocains. Aucun, cependant, n'avait établi une liste absolument semblable à celle-ci.

On sait que la nouvelle publication fut émise à la demande de la chambre de commerce de Bordeaux, chargée par la commission impériale d'organiser une présentation des grands vins de Bordeaux à l'Exposition universelle de 1855. Des tractations s'engagèrent, et aussi quelques intrigues. Ainsi, les Rothschild, possesseurs de Brane-Mouton depuis 1853, cherchèrent à élever leur cru de Pauillac au premier rang, voulant absolument égaler leur voisin et rival Lafite. Ce dernier appartenait alors, nominalement, à Sir Samuel Scott, de Londres, et en réalité aux héritiers Vanlerbergue. Il est vrai que, en 1851, les fils d'Isaac Thuret, alors propriétaires de Mouton, avaient déjà essayé de promouvoir Mouton au rang de premier cru. Le régisseur Lestapis les en avait dissuadés : « Mouton, leur écrivait-il le 24 mars 1851, étant le premier des seconds crus, doit y garder son rang. » Au reste, les « exploits » de Mouton paraissaient trop récents pour modifier le classement traditionnel.

Château Palmer se retrouva placé dans la troisième classe des grands crus médocains figurant dans le fameux document au milieu de la liste. À vrai dire, il ne pouvait alors prétendre à un meilleur rang. Propriétaires depuis deux ans, les Pereire avaient manqué de temps. Après dix ans d'incurie de la Caisse hypothécaire, outre les

habitudes commerciales bien établies, ils avaient à gérer l'état précaire de leur vignoble, longtemps négligé par leurs prédécesseurs et, de surcroît, fragilisé par l'oïdium.

❦ Palmer à la belle époque.

Après la remise en ordre de leur vignoble, les Pereire allaient connaître de beaux revenus, ceux de la « belle époque » du Médoc au XIXe siècle.

Ainsi, la décennie 1861-1870 confirma-t-elle une amélioration sensible de la production. La moyenne décennale s'établit à 92 tonneaux par an. Une récolte sur deux dépassa ou égala 105 tonneaux de grand vin. Parmi les plus volumineuses, celle de 1869 atteignit 125 tonneaux. La plus maigre, celle de 1863, se limita à 50 tonneaux. En tout cas la disette, liée à l'oïdium, avait disparu.

La prospérité s'accentua légèrement de 1871 à 1880. La moyenne annuelle de la production de Palmer s'éleva à 129 tonneaux. C'était un progrès de 40 % environ sur la décennie précédente. Ce résultat traduisait la bonne santé du vignoble, bonifié par des apports un peu plus élevés de fumures. Trois récoltes furent particulièrement abondantes : celle de 1874, forte de 190 tonneaux, celle de 1875 qui s'éleva à 245 tonneaux – une véritable performance proche des quantités que nous connaissons aujourd'hui –, et enfin celle de 1878. La prospérité s'étendait sur Palmer comme sur les autres grands crus médocains. Oubliées les misérables rentrées de la période de 1844 à 1853 ! Le Médoc connaissait son âge d'or.

❦ Mildiou et phylloxéra.

Cependant, de 1881 à 1890, le Médoc traversa une nouvelle période difficile : celle du phylloxéra et du mildiou. Le *phylloxera vastatrix*, cet insecte minuscule, atteignit le vignoble vers 1874. En 1880, les taches phylloxériques envahirent l'ensemble du territoire. Les ravages de l'insecte destructeur des racines de la vigne donc des ceps furent lents et progressifs. On s'aperçut vite qu'il n'existait aucun remède efficace contre lui, à part la replantation progressive du vignoble sur racines résistantes d'origine américaine : ce fut la solution du porte-greffe. Cependant, les grands crus hésitèrent longtemps à adopter les plants greffés, car le négoce s'y opposait. On pensait, à tort ou à raison, que la qualité des grands vins s'en trouverait sérieusement transformée, sinon amoindrie.

Pendant plus d'un quart de siècle, les grands crus classés médocains entreprirent une lutte harassante et coûteuse à base d'insecticides : sulfure de carbone tout d'abord, injecté au pied de la vigne par un pal, sorte d'énorme seringue ; sulfo-carbonate de potassium ensuite. Cette poudre, déposée au pied de chaque cep, nécessitait l'utilisation de grandes quantités d'eau pour la dissoudre. Certains grands châteaux s'équipèrent de systèmes de pompage et d'un réseau de tuyaux pour conduire l'eau dans les vignes. Puis, à partir des années 1895 environ, on adopta la replantation en cépages nobles greffés. Cette opération se prolongea pendant plusieurs décennies. En outre, pour conforter la vigne affaiblie, les apports de fumures augmentèrent très sérieusement et on essaya les premiers engrais chimiques.

Le pulvérisateur soissonnais. Gravure extraite de *Parcs et jardins* (1908). *Coll. part.*

De la sorte, contrairement à une opinion répandue, notamment en Angleterre, le phylloxéra ne détruisit pas le vignoble médocain. Bien au contraire, sa production s'accrut dans de telles proportions que les milieux du négoce tirèrent la sonnette d'alarme. De surcroît, le Médoc viticole ne connut aucun dépeuplement. Bien au contraire, jamais il n'avait employé tant de personnel, tout au moins temporaire ; les équipes de montagnols, sulfureurs maniant le pal injecteur, étaient très nombreuses.

La deuxième invasion cryptogamique, celle du mildiou, quasi contemporaine de celle du phylloxéra, porta les plus graves coups à la production et à la qualité des grands vins. Polarisés sur le phylloxéra, les chroniqueurs négligèrent souvent cet événement capital.

Le mildiou, ou *peronospora viticola*, apparut soudainement en 1882, envahit totalement le vignoble. Ses méfaits furent spectaculaires :

feuillage et grappes desséchés ; récolte réduite ; déséquilibre des moûts et du vin au bénéfice de l'acidité ; teneur alcoolique réduite. Nombre de vins cassèrent au moment de la mise en bouteilles.

Un universitaire bordelais, Alexis Millardet, aidé d'Ernest David, régisseur des châteaux Dauzac, à Labarde, et Ducru-Beaucaillou, à Saint-Julien, trouva le remède efficace : la « bouillie bordelaise ». Cette solution de sulfate de cuivre et de lait de chaux, diluée dans l'eau, fut projetée sur la vigne à l'aide de sulfateuses à main. L'opération réussit à contenir le mildiou, hélas sans l'éradiquer. Il se révéla indestructible et sa menace reste encore présente aujourd'hui. Dès 1885, les sulfatages commençaient à se répandre dans le vignoble. Mais leur mise au point fut lente. On connut de nombreux déboires. En 1886, la moitié seulement des grands crus médocains purent sauver leur récolte. La pratique du traitement préventif n'était pas encore bien maîtrisée. En outre, le sulfatage manuel se révéla impuissant à vaincre les offensives du mildiou en années humides et chaudes. Les années 1910 et 1915 connurent des échecs retentissants.

Face à cette double offensive du phylloxéra et du mildiou, sans omettre les poussées de l'oïdium toujours présent, les viticulteurs médocains surent vaincre assez souvent l'adversité, au prix bien sûr d'un accroissement sensible des frais de culture et d'un surcroît de travail. C'est ainsi que, de 1881 à 1890, on peut suivre les méfaits des maladies de la vigne sur les récoltes et les revenus de Palmer.

❦ Halte au pistrouillage ! L'année 1890 marqua un tournant décisif dans les cotations des grands vins de Palmer, comme dans celles des autres crus classés. Les cours s'étant effondrés, victimes d'une série de mauvaises années, l'ère de la grande fraude commençait. Certains professionnels se laissèrent aller à la facilité des mélanges, du « pistrouillage », comme le disait Jouet, régisseur de Latour, à la cuisine du « chai » du plus mauvais aloi. Les rumeurs les plus fausses coururent sur le marché anglais, où l'on alla jusqu'à proposer des *blended clarets*. Contrairement aux

rumeurs répandues en Angleterre par des revues malveillantes, qui prétendaient que le grand vignoble médocain avait été détruit par le phylloxéra, la production battit des records. De 1891 à 1900, à Palmer, elle s'établit à 152 tonneaux, un accroissement moyen de 38 % par rapport à la décennie précédente ! Trois récoltes dépassèrent les 200 tonneaux : 1893, 1896 et 1900. Jamais on n'avait atteint de tels chiffres.

❧ La « décennie terrible ».
En Médoc, l'expression « décennie terrible » désigne les dix premières années de notre siècle. Indice patent du désarroi général : « Ce n'est pas la qualité qui fait acheter, affirme Lawton, ce sont les bas prix, et jusqu'à présent, le dehors reste froid. »

À Palmer, la moyenne des récoltes diminua sensiblement ; elle atteignit 125 tonneaux, ce qui représentait 82 % environ du résultat des dix années précédentes. Les extrêmes se situent en 1901 avec 250 tonneaux, et en 1910 avec 45 tonneaux ! Mais les cotations s'effondrèrent, le prix du tonneau chuta et la valeur moyenne n'atteignit guère que 72 % de la décennie précédente. En calculant le prix moyen du tonneau de Palmer entre 1901 et 1906, on n'obtiendrait que 679 francs. Ce résultat souligne l'ampleur de la crise des cotations.

De 1907 à 1920, la généralisation des « abonnements » – contrat par lequel le négoce partageait les risques en achetant à prix fixe cinq à dix récoltes – mit la propriété viticole médocaine sous dépendance étroite. Néanmoins, cette sujétion n'entraîna pas une nouvelle dégradation des prix pour les grands crus. L'abonnement, fort décrié à la belle époque, fut en réalité un élément de sauvegarde pour de nombreux châteaux victimes de ces temps houleux. Il eut le mérite d'assurer des rentrées annuelles de fonds. En même temps, il délivra les domaines sous contrat de la hantise du stockage des récoltes invendues et, par là même, chassa le spectre de la ruine qui envahissait de nombreux autres châteaux.

À cet égard, Château Palmer est exemplaire. La moyenne de pro-

PAGES PRÉCÉDENTES
Château Palmer :
l'élément original du
grand salon : une vitre
en trumeau au-dessus
de la cheminée.

duction s'abaissa dans les années 1910 à 82 tonneaux. La plus volumineuse récolte, celle de 1912, n'atteignit que 125 tonneaux. Le cours moyen du tonneau se redressa à 2 155 francs, résultat égal à 2,7 fois le cours moyen de la décennie précédente. Les rentrées de fonds s'accrurent, en dépit de la chute des volumes récoltés ; la moyenne décennale s'établit à 169 850 francs, soit 83 % de mieux que durant la période précédente.

Palmer, qui reprit son indépendance à partir de 1916, réalisa ensuite d'assez belles affaires, tout au moins en valeur nominale, car, dès la fin de la Grande Guerre, l'inflation monétaire diminua sensiblement les gains réels. Pour les cinq récoltes de 1916 à 1920, le prix moyen du tonneau s'éleva à 3 160 francs ; la valeur potentielle moyenne de ces cinq millésimes atteignit 240 francs par an. À eux cinq, ils firent rentrer 70,7 % des fonds de la décennie.

❦ Palmer, vin des rois.

Si les grands vins de Palmer étaient livrés au négoce bordelais, qui en assurait la diffusion en France et surtout à l'étranger, notamment en Angleterre et sur les marchés de l'Europe du Nord-Ouest, les propriétaires vendaient parfois à des particuliers.

Le plus fameux client de Palmer fut le musicien Claude Debussy. Le 22 octobre 1917, le château livra à « M. Claude Debussy, 80 avenue du B. de B. à Paris, 24 Palmer 1909 », pour la somme de 90 francs, ce qui mettait la bouteille au prix assez modeste de 3,75 francs. Il est vrai que les autres grands crus médocains ne se vendaient pas, au détail, beaucoup plus cher...

Quelques menus d'époque montrent que les grands vins de Palmer se dégustaient souvent sur les meilleures tables. Ainsi, le mardi 12 juin 1883, on servit au dîner de la chambre des imprimeurs, à Paris, du Palmer 1831. Il se trouvait en bonne compagnie, à côté du Château Filhot, de Poujeaux et d'un Richebourg 1831. Les Amis de l'eau-forte servirent pour le dîner, à Paris, le 8 juin 1914, du Château Palmer 1908, du Chablis en carafe, des Médoc et du Pommard 1906. Cependant, la grande consécration eut lieu le

jeudi 1ᵉʳ juillet 1886, à l'occasion du grand dîner offert à Londres pour l'installation de Son Altesse royale, le prince de Galles. Le champagne Roederer, Carte Blanche, 1874, d'une part, côtoyait d'autre part du claret Château Palmer-Margaux, 1875 ! Ajoutons que, dans la liste des vins de la cave du Brook's Club de Londres, nous avons relevé à plusieurs reprises mention de millésimes anciens de Palmer. Vin des clubs, Palmer était aussi consacré par les rois !

Claude Debussy
au piano en 1893,
client de Palmer.
DR. Coll. part.

❦ Le précieux carnet de Louis Mellet. Nous avons retrouvé, grâce à l'amabilité de son petit-fils, le carnet de Louis

Mellet, régisseur de Palmer dans les années 1920. Ce document décrit minutieusement tous les plantiers de Palmer et fournit des précisions particulières sur un tiers de siècle de conduite du vignoble. On constate que, dans les années 1920, la propriété de Palmer s'étendait sur près de 190 hectares et que le grand vignoble

No. **3361**

Paris, le 22 OCT. 1917 191

Livré à M Claude Debussy

80 Avenue du B de B.

Paris

24 Palmer 1909
Encaisser 90.

Claude Debussy

PAGE PRÉCÉDENTE
**Livraison de
bouteilles à Claude
Debussy, fin amateur
de Château Palmer.**
Coll. Caves Pétrissans.

se composait de 286 parcelles ; 123 hectares de vignes totalisaient environ 942 000 pieds, ce qui était considérable. Palmer régnait sur Cantenac-Margaux comme la plus grande propriété viticole.

Quant à la composition de l'encépagement de Palmer, le cabernet sauvignon se taillait la part du lion. Le merlot, et c'est une surprise, représentait à peine 3 % de l'encépagement du grand vignoble. Curieuse situation, si l'on songe que le merlot apparut en Médoc dans les années 1825. Sans doute, à Palmer, n'avait-on pas suivi le mouvement général du vignoble médocain ! En revanche, deux anciens cépages nobles du Médoc restaient toujours présents : le malbec, le petit verdot et des cépages divers ou mélangés.

Dans ces conditions, il est permis de penser que les grands vins de Palmer, dans les années 1890-1920, offraient une richesse tannique beaucoup plus puissante que les grands vins actuels, en raison de la vinification de l'époque. Signalons enfin, fait jusqu'à présent ignoré, que Palmer produisit à partir des années 1923-1925 des vins blancs secs, à l'instar de son puissant voisin, le Château Margaux.

Mellet révèle la liste des vignerons prix-faiteurs de Palmer en 1920, au nombre de 22. Parmi eux, retenons les noms de Joseph et de Pierre Chardon. Ce dernier allait devenir, en 1938, le régisseur de Palmer. Né à Palmer en 1903, il restera régisseur du château jusqu'à sa retraite. Ses fils, Claude et Yves Chardon prirent sa suite, donnant un bel exemple de longévité et d'attachement d'une même famille à Palmer ; c'est la « saga » des Chardon !

En régisseur exigeant, qui surveillait attentivement les travaux de sa troupe de vignerons, valets et hommes de chais, Mellet gérait Château Palmer avec soin. Les Pereire n'hésitaient pas à financer les investissements nécessités par la bonne marche de leur vignoble où ils se rendaient régulièrement.

❦ Un avenir incertain.
La décennie d'après-guerre laissa un assez bon
souvenir. Les cours des grands vins se maintinrent à un niveau correct. Mais, hélas, les frais de culture augmentèrent très fortement. L'éclaircie ne dura pas, compte tenu de ces temps difficiles, et la

récolte moyenne décennale de Palmer fléchit jusqu'à 75 tonneaux. La grande crise des années 1930 affecta durablement la trésorerie de Palmer, récemment redressée, mais fragile en réalité, à cause de la grande augmentation des coûts de production.

La crise débuta en Médoc par trois récoltes détestables, mildiousées au plus haut point, celles de 1930, 1931 et 1932. Il n'est pas étonnant que, dans le malaise financier général, les cotations se soient effondrées. À propos des vins de 1932, Lawton écrivait le 19 décembre 1932 : « Ils sont petits et bien médiocres, sans faux goût toutefois. Mais ils pèsent entre 8 et 9°. Je me demande bien ce qu'on va pouvoir en faire. C'est un coup désastreux pour la réputation de nos vins, de voir vendre avec des noms illustres une pareille marchandise. »

Les récoltes suivantes, de 1933 à 1938, quel que fût leur mérite – notamment celles de 1934 et de 1937, excellentes –, se vendirent difficilement tant la mévente générale des grands crus était forte, et à des prix bien dérisoires. Face à cette débâcle, qui entraîna la faillite de nombreux grands crus, se développa un mouvement coopératif. De plus, il fallut se résoudre à arracher des vignes. Cette solution se généralisa en Médoc à la suite du décret-loi de 1935, qui prévoyait une subvention à l'arrachage des vignes au faible taux de 1 200 francs l'hectare. En octobre 1935, le baron Philippe de Rothschild déclarait, dans son « discours de vendanges » : « Un vent de ruine souffle sur la Gascogne et sur l'Aquitaine [...] J'ose dire que nous assistons à l'enterrement des terres ! » Palmer n'échappa pas à la règle, puisque dans l'acte de vente du domaine, le 29 avril 1938, nous relevons cette mention : « M. Pereire déclare que les vignes arrachées depuis 1931 l'ont été sans engagement de replantation » !

Dans un tel climat de dépression économique, nombre de châteaux, obérés de dettes, étaient à vendre et trouvaient difficilement acquéreurs. La moins-value de l'hectare de vignes était considérable. En février 1934, par exemple, les 340 hectares de Larose-Trintaudon et de Larose-Perganson, à Saint-Laurent-de-Médoc, se bradent à 300 000 francs ! Néanmoins, l'exemple le plus significatif est fourni par Lawton en avril 1935 : « On achète, écrivait-il, pour la somme de 2 350 000 francs, le Château Haut-Brion. L'acquéreur est Mr. Clarence Dillon, de la Dillon Read Corporation, très important groupement financier américain. Nous avions en même temps une option à 2 500 000 francs sur la propriété de Cheval-Blanc. Personne n'en a voulu. »

Équilibre financier précaire, avenir incertain, telles étaient les séquelles les plus marquantes de la crise des années 1930. Le redressement était loin d'être achevé lorsque éclata la Seconde Guerre mondiale. C'est dans ces circonstances que les Pereire, en 1938, furent contraints de vendre leur beau domaine de Palmer.

Le renouveau

❦ La qualité avant tout.
Des années 1930 à nos jours, Palmer connut

un formidable essor. Mais ce renouveau passa, d'abord, par la décision prise par l'assemblée générale de la Société Pereire, à Paris, le 15 juin 1937, de vendre la propriété de Château Palmer. L'administrateur délégué, André Pereire, désigna deux mandataires : André Baruch-Levy et le régisseur Louis Mellet, à qui incombait la liquidation de la totalité du patrimoine des Pereire en Médoc.

A. Frédérick E. Mähler.

En vérité, l'on assista à un véritable dépouillement de leurs biens.

Il est évident que les négociants bordelais se postaient à l'affût des offres – nombreuses – de ventes de châteaux en faillite ou en grave difficulté. Cinq d'entre eux s'associèrent et fondèrent, en 1938, la Société du Château Palmer.

Fernand Ginestet, à la tête d'une solide maison de négoce bordelaise et d'un patrimoine viticole considérable, devait par la suite acquérir le Château Margaux. Frédérick Mähler était le fondateur de la société Mähler-Besse et Cie. Le troisième associé, la firme Sichel et Cie, était représentée par Joseph Kiefer ; enfin se joignirent Louis et Édouard Miailhe, détenteurs ou gérants de vignobles bordelais et forêts landaises. Les cinq hommes se rendirent donc acquéreurs, le 29 avril 1938, du noyau central du vaste domaine.

Le montant de la vente s'élevait à la modeste somme de 300 000 francs, ce qui en dit long sur la moins-value générale des domaines médocains. Aujourd'hui, il est difficile d'imaginer que les grands crus du Bordelais aient pu à cette époque n'intéresser personne. Le vin se vendait mal, une série de mauvais millésimes ayant secoué le marché ; de surcroît, peu d'amateurs désiraient investir dans des propriétés qui n'offraient aucune rentabilité. Après les « robins », fondateurs au XVIIIᵉ siècle des grandes propriétés viticoles, après l'avènement des industriels et des banquiers du XIXᵉ siècle qui avaient tant fait pour développer la culture des grands crus hautement personnalisés, la baisse dramatique des valeurs foncières ouvrait la porte à une nouvelle classe de propriétaires. Les professionnels du vin, souvent des négociants bordelais, relevèrent le défi d'une viticulture orpheline et souvent en mauvais état.

Le 19 juillet, les nouveaux propriétaires de Palmer complétèrent leur acquisition par neuf parcelles de terres et vignes au moulin d'Issan, au Regat-des-Combes, à Guinot et au Regat-des-Gardes ; les notaires rappelaient que les crus, marques et étampes du Château avaient été également acquis. En août, ce fut le tour d'une partie du Château Desmirail, à Margaux, pour 32 500 francs, une somme bien faible pour un troisième cru classé !

Achats et échanges se poursuivirent jusqu'en 1956. Ainsi, la société civile de Palmer recomposait-elle peu à peu l'ancien fief viticole des Pereire. Seul le château Desmirail, qui sera échangé en 1981, fera exception. Cette année-là, la surface totale du château s'élèvera à 47 hectares, dont 40 de vignoble.

❦ Une constante évolution.
En quarante ans, le capital social de la

Société du Château Palmer subit de nombreuses évolutions. En 1941, elle se transforma en société civile immobilière tandis que son capital était porté de 25 000 francs à 2 500 000 francs. Avant cette date, la société comprenait 50 parts de 500 francs chacune. La répartition était la suivante : 20 parts pour Fernand Ginestet, le plus gros porteur, et 10 parts pour chacun des autres associés. Mais déjà, Fernand Ginestet avait cédé 6 parts, dont 3 à Henry Mähler-Besse et 3 autres à Sichel et Cⁱᵉ, si bien que la nouvelle répartition du capital social était ainsi conçue : Fernand Ginestet, 14 parts, Sichel et Cⁱᵉ, 13, Frédérick Mähler-Besse, 10, Henry Mähler-Besse, 3 et la société Miailhe frères, 10 parts.

En 1950, la Société civile de Château Palmer portait à 100 le nombre de parts : 28 parts à Fernand Ginestet, 26 à Sichel et Cie, 20 à Frédérick Mähler-Besse, 6 à Henry Mähler-Besse et 10 à chacun des frères Miailhe.

L'année suivante, Louis Miailhe vendit ses 10 parts et cessa par conséquent de faire partie de la société. Cette cession se réalisa sur la base de 75 000 francs la part, si bien que les deux acquéreurs sociaux durent débourser 375 000 francs chacun à Louis Miailhe, « concession-naire ».

Henry Mähler-Besse.

Le 29 avril 1955, Pierre Ginestet, fils de Fernand, céda ses parts. Elles furent acquises par les enfants de Frédérick Mähler-Besse.

Ainsi, de 1938 à 1955, la famille Mähler-Besse était devenue largement majoritaire dans la Société du Château Palmer, puisqu'elle détenait 59 parts sur 100 ; la famille Ginestet s'était retirée de la Société Palmer : la maison Sichel et Cie devenait le deuxième porteur de parts sociales : la famille Miailhe ne détenait plus que 10 % du capital.

L'actionnariat évoluera encore considérablement par la suite. En 1981, les héritiers de Frédérick Mähler-Besse organisent la répartition des parts entre les différents descendants de la famille.

En 1987, vente des parts Miailhe à la maison Sichel et Cie et aux différentes branches du groupe Mähler-Besse. Ainsi va le temps avec sa cascade de générations.

En 1972, l'ensemble des associés se trouvait à la tête d'un domaine de 45 hectares de vignes.

En ces termes précis, les experts qualifiaient ainsi le vignoble à
l'orée des années 1970 :

« Pratiquement d'un seul tenant, il est exclusivement complanté
de cépages fins : merlot, cabernet sauvignon, cabernet franc, petit
verdot, implantés sur des croupes bien exposées sur le plateau
de Margaux dont les terrains graveleux sont de première qualité. Il se localise autour et à
proximité immédiate de la demeure principale et des bâtiments d'exploitation. Il produit
un vin remarquable par sa finesse exceptionnelle et le doit non
seulement à la nature de son sol
et à son exposition, mais aussi
aux vieilles vignes françaises qui
le composent et qui proviennent
des meilleurs cépages. L'âge
moyen du vignoble, renouvelé
progressivement, se situe entre
vingt et vingt-cinq ans. Ainsi, le
vignoble rajeuni très régulièe-
rement, et dont le rendement
en rapport avec l'âge des plantations, peut être considéré,
actuellement, comme en plein
rapport. »

Allan Sichel.

Les mêmes experts présentaient de cette façon le Château
Palmer : « Construite en 1857 et 1860 par les Pereire, une magnifique demeure de marbre [!], de très belle apparence, dont les
angles s'ornent de quatre tourelles coniques [...] Les réparations
dues à la vétusté ont été faites régulièrement et avec soin. »

Ils décrivaient ensuite les logements du régisseur et des ouvriers
(treize en tout), les chais et les cuviers, « rationnellement aménagés
[...] permettent de conduire la vinification dans les conditions les
plus favorables. Les chais de vieillissement où règne une température constante, visités par de nombreux touristes, ont fait l'objet

Château Palmer : la
taille de la vigne.

d'un soin tout particulier quant à leur entretien et à l'installation
d'un éclairage artificiel ». Au total, le parfait état d'entretien de cet
ensemble immobilier « confère une plus-value certaine à ce magnifique domaine »...

❦ Les années de guerre :
des temps encore difficiles. Mais revenons aux

années 1940. De la veille de la Seconde Guerre mondiale jusqu'aux
années 1970, on assiste à un véritable renouveau de ce grand cru du
Médoc, qui n'est pas allé sans quelques revers de fortune.
De 1938 à 1949, les frères Louis et Édouard Miailhe, qui résidaient
à Bordeaux, assurent la gestion de Palmer. Leur première décision
consista à confier la conduite du vignoble à M. Pierre Chardon,

devenu le successeur de M. Mellet après avoir occupé l'emploi de prix-faiteur sur le domaine qui l'avait vu naître en 1903. Élevé dans le sérail, formé « sur le tas », le nouveau régisseur était à même de conduire avec compétence les travaux de la vigne et la vinification des récoltes.

Hélas, la guerre entraîna pour Palmer des aléas multiples, dont le moindre ne fut pas l'occupation du château par les troupes allemandes, qui se livrèrent à des dégradations considérables, chiffrées en 1945 à près de deux millions de francs : meubles cassés, planchers défoncés, tapisseries déchirées, etc. Au deuxième étage du château, des graffiti laissés sur les murs rappellent encore le passage des soldats allemands.

En outre, le personnel se raréfia ; les fournitures en sulfate de cuivre et en soufre diminuèrent dangereusement. Le gouver-

Inscription laissée sur le mur d'une cave par les soldats allemands ayant occupé le château de 1941 à 1944 : « Loin du combat, maintenant en garnison, le soldat souhaite sa récompense : du calme ! Le 5ème. »

nement de Vichy institua la taxation des vins « à appellation contrôlée », établit une sorte de barème des prix d'homologation à 100 000 francs le tonneau pour les premiers grands crus, 80 000 francs pour les seconds, 60 000 francs pour les troisièmes, etc. Ce dirigisme économique compliqua la négociation des récoltes et entraîna le développement du marché noir des grands vins.

Un millésime aussi réussi que celui de 1945, faible en volume mais de haut niveau qualitatif, faisant les délices des connaisseurs actuels, éprouva les pires difficultés de vente. Il faudra attendre les années 1950 pour constater une légère amélioration.

Précisément, durant l'année 1950, la gérance change de mains à Palmer. Les frères Miailhe ayant donné leur démission, Jean Bouteiller, gendre de Frédérick Mähler, et propriétaire, notamment, du Château Lanessan à Cussac, fut nommé administrateur du vignoble ; il devait le rester jusqu'à son décès prématuré en 1962. Son fils Bertrand lui succède et contribue à assurer une séculaire unité de gestion. Actionnaires et administrateur pratiquent toujours avec fermeté et constance une politique d'exigence, axée sur la meilleure qualité des grands vins. Comme nous l'avons vu, les associés n'hésitent jamais, à Palmer, à déclasser les mauvaises récoltes, même au prix d'un sévère manque à gagner ; la notoriété du château l'exige.

❦ Années 1950, années charnières. Jean Bouteiller réalisa un travail considérable dont ses descendants ont tout lieu, aujourd'hui, de se montrer fiers. Il accrut la surface plantée, la portant de 22 à 29 hectares : une augmentation du vignoble de 31 % en douze ans ! Il modifia sensiblement l'encépagement : la proportion de merlot, qui avait atteint 60 % sous la direction des Miailhe, fut ramenée sous son autorité à un niveau plus raisonnable de 47 %. Ainsi, le rétablissement d'un équilibre plus classique est-il l'œuvre de Jean Bouteiller.

La délicate question des cépages mérite une explication. Certains

Jean Bouteiller.

croient que le goût particulier qu'ils recherchent dans un vin dépend d'un cépage plutôt que d'un autre. Peter Sichel s'inscrit en faux contre cette assertion, et rappelle que Bordeaux « bénéficie d'un climat marginal pour les cépages rouges ; c'est pour cette raison que nous pouvons, à Palmer, réaliser des vins d'une complexité exceptionnelle. Goût de fraise, de pomme, etc. : la gamme est très étendue. Contrairement à ce que l'on peut croire, les vins, ajoute-t-il, sont plus fins lorsqu'ils viennent de régions relativement fraîches que d'un pays chaud. Nos différents cépages sont très proches, mais le merlot arrive à maturité plus facilement que le cabernet. Par conséquent, dans les années froides (1977 et 1979 par exemple), le merlot réussit plus facilement que le cabernet. Mais le merlot est aussi plus sensible au mauvais temps au moment de la fleur, et l'on peut facilement perdre une bonne partie de la récolte de merlot s'il fait froid ou trop humide en juin, comme ce fut le cas de l'année 1984. En tout état de cause, le merlot donne des vins plus fruités et plus ronds que le cabernet, qui fournit la longueur, la

Le labour de la vigne avec des chevaux a été pratiqué à Palmer jusqu'aux années 1960.

PAGE SUIVANTE
Le clan des Chardon.

complexité et la capacité de vieillissement. Dans le terroir de Margaux, où le sol est graveleux et léger, il est utile d'avoir 5 à 10 % de petit verdot afin d'augmenter la couleur, la puissance et la structure. Mais ce n'est pas le cépage qui détermine le caractère du vin, c'est le terroir qui s'exprime à travers le cépage. Ainsi, dans une année de bonne maturité, il est difficile de reconnaître les cuves des différents cépages ».

Avec Jean Bouteiller, Palmer s'apprête à vivre une période fondamentale de son histoire. 1953-1955 illustrent à merveille ce réveil, ce sursaut : un mois de septembre ensoleillé amena le raisin à parfaite maturité.

« En 1955, écrivait le courtier Jean-Paul Gardère, on est comblé : quantité très convenable, qualité de tout premier ordre et renommée assurée. » Le vin de 1955 était « très coloré, bouqueté, rond, friand, déjà flatteur ; il rappelle aussi les 1952 ». À Palmer, on pro-

La vendange dans les années 1950, à Château Palmer.

duisit une abondante récolte de 110 tonneaux, soit 990 hectolitres. Ce fut le meilleur résultat des années 1951 à 1960.

On peut dire sans exagérer que, si Palmer jouit aujourd'hui d'une solide réputation, c'est grâce aux décisions prises à cette époque. Jean Bouteiller, Henry Mähler-Besse et Allan Sichel jouèrent la carte de la qualité, en dépit des risques financiers. On ne peut qu'applaudir à cette audace, en des temps où la rentabilité s'avérait pour le moins hypothétique !

Tandis que Jean Bouteiller s'occupait de l'exploitation, Henry Mähler-Besse et Allan Sichel, responsables de la commercialisation et des finances, devaient parfois avancer de l'argent pour couvrir les frais d'exploitation.

C'était l'époque des « ventes sur souches » : nombre de grands crus, par manque de trésorerie, se trouvaient dans l'obligation de vendre une partie de la production bien avant la récolte. Ce fut le cas du millésime 1961 : la commercialisation commença en février, c'est-à-dire sept mois avant la récolte. Les prix s'établissaient sur le millésime précédent, d'une qualité médiocre. Beaucoup de grands crus vendirent d'avance un bon tiers d'une récolte normale ;

mais, à la suite d'une gelée survenue à la fin de mai au moment de la floraison, et d'un été d'une grande sécheresse, les rendements s'étaient révélés si faibles que les 30 % prévus d'une récolte normale devinrent 100 % d'une récolte de qualité exceptionnelle... Les avances financières de MM. Sichel et Mähler-Besse en faveur de la société civile évitaient à Palmer de recourir à la « vente sur souches » et permirent au château de pouvoir encore servir à ses invités quelques faramineuses bouteilles de 1961 !

Peter Sichel se souvient personnellement de cette époque. « Les premiers millésimes dont j'avais la vente étaient le 1952 et le 1953. Nous les vendions en barriques, tandis que nos clients se chargeaient de la mise en bouteilles. Les prix oscillaient autour de 550 francs la barrique de 225 litres, représentant 1,83 franc la bouteille ! Mais, si je revenais d'une semaine de voyage avec des commandes pour une barrique ou deux, j'avais droit à des félicitations. Un de nos clients réguliers était les Chemins de fer britanniques. Château Palmer était d'ordinaire proposé en demi-bouteilles par la société anglaise qui le présentait sur les tables de ses wagons-restaurants comme "vin de maison".

« On disait déjà que les millésimes d'après-guerre n'avaient pas une structure aussi solide que les grands millésimes des années quarante. En particulier, le 1953 se qualifiait comme un vin fin et

Château Palmer : l'égrappage à la main.

Les soufreuses à main étaient utilisées jusqu'aux années 1960, à Château Palmer.

agréable, mais qui ne tiendrait pas longtemps en bouteille. En 1963, il paraissait toujours jeune ; en 1973, on le trouvait superbe ; en 1983, à l'étonnement général, il ne fut toujours pas trop vieux. Ce n'est que depuis quatre à cinq ans qu'il commence à montrer des signes de fatigue [...] On sous-estime trop souvent la capacité des grands vins du Médoc – et ceux de Palmer en particulier – à vieillir. Ce n'est pas la puissance qui confère au vin ce potentiel, mais l'équilibre. »

En ces années 1950, ce n'était pas une mince affaire que de se rendre à Bordeaux.

Henry Mähler-Besse et Allan Sichel avaient déjà constitué une clientèle fidèle pour Palmer, le premier surtout en Hollande d'où son père était originaire, et en Belgique, le second parmi les Anglais qu'il emmenait en voiture au château. Mme Pierre Chardon – Yvonne – s'attelait aux fourneaux. Les actuels propriétaires de Palmer vécurent aux côtés de cette femme dévouée des moments que l'on n'oublie pas. Ils se rappellent les repas où l'on conviait les

Pierre Chardon.

clients fidèles. Le menu, toujours le même, mais ô combien apprécié !, consistait en omelette, entrecôte grillée sur les sarments, frites, salade, fromage et crème caramel, grande spécialité de la cuisinière !

Rappelons que, à cette époque, le vignoble ne disposait pas encore des bienfaits de l'industrialisation. L'égrappage se faisait à la main, comme en témoigne la splendide table que l'on peut voir exposée dans la salle de dégustation à côté d'outils centenaires. Le tracteur n'avait pas encore fait sa rugissante apparition. Les temps étaient durs ; la gelée catastrophique de février 1956, si sévère qu'elle tua des ceps de vigne – phénomène très rare –, marqua la seconde partie de la décennie. En 1957, il gela de nouveau, mais au mois de mai. On obtint une série de petites récoltes, comme en témoigne le tableau ci-dessous :

ANNÉE	RÉCOLTE	HECTARES	RENDEMENT
1955	110 tx	22	45 hl/ha
1956	60	22	24,5
1957	43	22	17,6
1958	75	24	28
1959	100	24	37,5
1960	121	27	40
1961	35	27	11,7
1962	76	29	23,5

Par la suite, un climat économique plus favorable, l'intérêt naissant des États-Unis pour le vin et les qualités exceptionnelles des millésimes 1959 et 1961 aidèrent à relancer le marché.

🍒 La prospérité en marche.
Si les années 1950 préparèrent
les conditions dans lesquelles se développa l'actuelle

notoriété de Palmer, on peut dire que le grain fut véritablement semé dans la décennie suivante. D'abord trois millésimes d'heureuse mémoire – 1961, 1962 et 1966 – furent reconnus comme parmi les meilleurs de la seconde partie du siècle. Toujours vivace est le souvenir des écoulages de ces années qui révélèrent des vins à la couleur intense, presque noire et au parfum étonnant. Puissance, richesse et longueur en bouche, finesse perçante : tels sont les caractères de ces grands millésimes. En second lieu, Palmer prit la décision courageuse de déclasser la totalité de la production des années médiocres (1963 et 1968). C'est une attitude rare.

À Palmer, si le vin n'exprime pas le caractère du terroir, ou si la qualité se révèle indigne du château, il est impitoyablement déclassé.

Les années 1960-1970 – « décennie tournante » – virent le passage des temps difficiles à une prospérité naissante. Le chiffre d'affaires fut multiplié par 3,5 environ : signe évident d'une exploitation en plein essor, malgré les difficultés évoquées plus haut. La surface du vignoble augmenta, et l'on atteignit une production moyenne annuelle de 120 tonneaux.

La situation de la propriété s'assainit totalement. À Palmer, la Société attendit son heure pour exprimer ses exigences. Ce fut aussi l'attitude des autres propriétaires de grands crus : « Il faut bien se pénétrer de l'idée, écrivait alors le courtier Jean-Paul Gardère, que jamais, tout au moins depuis longtemps, la propriété n'a occupé une position aussi forte. Visitez ses chais, évaluez son stock disponible, jaugez sa trésorerie par les ventes qu'elle vous annonce et vous comprendrez pourquoi elle est tranquille, solide sur ses positions. »

Cette réussite amorce la promotion de Château Palmer au niveau des meilleurs seconds crus classés du Médoc. Les déconvenues de jadis paraissent loin. Palmer et le Médoc, dans les années 1970, entrent dans une nouvelle période faste de leur histoire triséculaire !

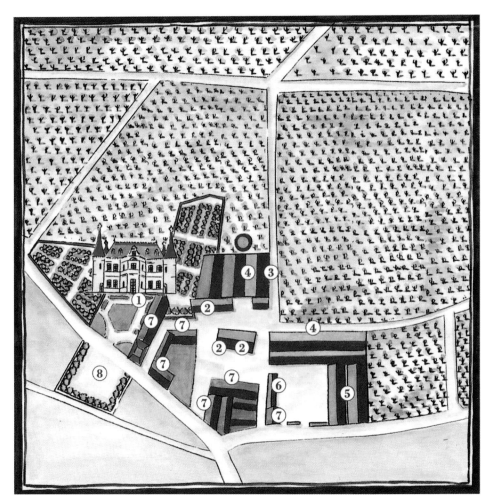

❦ La saga des Chardon.

Avant d'aborder les années 1970 et l'entrée de

Palmer dans l'ère moderne, il convient d'associer à la réussite de l'entreprise une famille présente sans discontinuer sur le domaine depuis trois ou quatre générations : le régisseur Pierre Chardon, ses fils et petits-fils. Il est probable que leur aïeul, le père de Pierre Chardon, faisait lui aussi partie du personnel du domaine.

Cheville ouvrière de Palmer, Pierre Chardon occupa pendant plusieurs décennies la fonction de maire de la commune de Cantenac. Il apporta, à Palmer comme dans sa mairie, le sérieux et la rigueur, en un mot la compétence, la conscience professionnelle et la disponibilité absolument nécessaires pour maintenir, contre vents et marées, la qualité et la réputation d'un grand vin. En janvier 1961, Pierre Chardon fut promu chevalier de la Légion d'honneur. Jean

Bouteiller, l'administrateur de Palmer, avait écrit le 21 août 1959 au sénateur bordelais Portmann, au sujet de cette distinction à décerner à Pierre Chardon : « Vous connaissez, disait-il, Chardon, maire de Cantenac et régisseur du Château Palmer que j'administre. Je sais que des amis, il y a plusieurs années, l'avaient fait proposer pour obtenir la Légion d'honneur. Toujours resté à la terre, ayant su y conserver deux fils, d'un dévouement absolu et d'un esprit rare en ce siècle, excellent régisseur et maire remarquable, il mériterait une très haute récompense. Tout allait bien et j'avais été informé de la date de la promotion. Or, in extremis, il y a eu barrage ; je n'ai jamais pu savoir par qui ; mais depuis, il est impossible de faire sortir ce dossier. » Jean Bouteiller sollicitait l'intervention du sénateur et ajoutait : « Soyez persuadé que cette haute distinction serait bien placée, beaucoup mieux que certaines autrefois. » Finalement, ce fut sur l'intervention de Raymond Brun, sénateur de la Gironde, que le ministre de l'Agriculture, Henri Rochereau, attribua le grade de chevalier de la Légion d'honneur à Pierre Chardon. Cette récompense, qui honorait des mérites unanimement reconnus, rejaillissait sur une famille entière et sur Château Palmer.

Déjà, quelques années auparavant, Édouard Miailhe faisait l'éloge de la famille Chardon. Dans un mémorandum du mois de juillet 1956, il écrit notamment : « Nous avons sur la propriété une famille de qualité qui, témoignage rare de fidélité, travaille sur Palmer depuis deux générations. C'est une exceptionnelle valeur dans nos temps dont il faut les féliciter. Notre responsabilité d'actionnaires de cette société réside, sur ce chapitre, à prévoir et à organiser le secteur de développement de ces hommes, M. Chardon père, MM. Claude et Yves Chardon. » La Société de Palmer sut entendre ces recommandations. Claude Chardon se montra le digne successeur de son père ; son dévouement et son amabilité firent merveille. Nous en portons témoignage, nous qui le fréquentons depuis plus d'un tiers de siècle ! Avec son frère Yves, lui aussi compétent et dévoué, ils effectuèrent toute leur carrière à Palmer jusqu'à leur retraite fin 1996, lorsque Philippe Delfaut prit leur succession. L'association avec la famille Chardon se perpétue avec leurs enfants Éric et Philippe qui font toujours partie du personnel.

Du vin et des hommes

❦ La prospérité de Palmer : des années 1970 à nos jours.

À partir des années 1970, le Médoc et, bien sûr, Palmer, vont patiemment confirmer les résultats acquis au fil des décennies. Bien que deux petites récoltes – 1971 et 1972 – aient déséquilibré le marché, entraînant des hausses artificielles des prix, et malgré la crise pétrolière qui provoqua une hausse des taux d'intérêt et un effondrement des prix, Palmer s'en sortit honorablement, grâce, une fois de plus, à une commercialisation solide, et en dépit de maigres profits. Même si à partir de 1978 on peut parler de rentabilité, l'on ne pourra constater une pleine et authentique prospérité qu'en 1982. Combien d'années et d'efforts, combien d'attention et d'amour auront été nécessaires pour en arriver là ?

❦ Gardiens d'un terroir. De 1970 à 1980 et au-delà,

la transformation du château est pour le moins prodigieuse. Elle résulte d'une politique commerciale particulière, constatée par la continuité dans le changement. Les familles actionnaires continuent à prospecter assidûment les marchés étrangers, assurant un suivi soigneux de la clientèle. Cette commercialisation est à coup sûr un des motifs de l'éclatante santé de Palmer. D'autre part, Palmer conserve toujours dans ses chais bordelais une bonne partie de chaque millésime. Cette réserve est mise en vente progressivement afin de satisfaire les clients fidèles.

Les années 1982 à 1996 ont sûrement été les plus prospères que le Médoc et Palmer aient jamais connues. Ce constat paraît assez paradoxal, à une époque où le fast-food et le Coca-Cola sont rois, où les taux d'intérêt sont élevés et où la crise économique sévit. Que s'est-il passé ? Sans doute l'élargissement du marché – mais d'un marché devenu sensible à la qualité réelle – explique-t-il ce phénomène. Alors qu'autrefois, comme nous l'avons vu, la Grande-Bretagne, la Belgique et la Hollande représentaient une part prépondérante des débouchés de Palmer, la Suisse, les États-Unis et

Fine Claret and White Bordeaux

London
Thursday, 16 May 1991 at 11.00 a.m.

CHRISTIE'S

l'Allemagne sont devenus des marchés importants – sans oublier les pays scandinaves, le Japon, l'Amérique du Sud et certains secteurs d'Extrême-Orient. Et n'oublions pas le marché français ! Allan Sichel est décédé en 1965, et c'est son fils, Peter, qui représente les intérêts de sa famille auprès de la société civile, comme, depuis quelques années, Franck Mähler-Besse représente son père Henry, et comme Bertrand Bouteiller inscrit son action dans le droit fil de son père Jean. Les autres actionnaires sont tous des enfants et petits-enfants de Frédérick Mähler. Ils se considèrent comme les gardiens privilégiés, mais passagers, d'un terroir d'exception, et poursuivent résolument la politique de leurs ancêtres qui ont tant contribué à la réputation de Palmer.

❦ Des résultats tangibles. Entre 1970 et 1993, la surface plantée a augmenté de 36 % environ.

Aujourd'hui, l'assiette du vignoble n'a pas changé ; elle recouvre toujours les meilleures graves de Cantenac-Margaux, c'est-à-dire le terroir historique des Gascq et du général Palmer. Au total, le vignoble de Palmer est passé de 32 hectares en 1969 à 43 dans les années 1990. L'encépagement est actuellement composé de 55 % de cabernets sauvignons, 40 % de merlots et 5 % de petits verdots. Les choses ont évolué de 1981 à 1993, comme partout ailleurs en Médoc : les paramètres ont été à la hausse. Par rapport à la décennie antérieure, la production moyenne annuelle de Palmer a doublé. Le millésime le plus abondant, de très bonne tenue qualitative, a été celui de 1990. Palmer a cette année-là écoulé 250 tonneaux. Ce fut le record de la longue histoire du château. Une partie de la récolte fera du Palmer, une autre sera classée en second vin, sous le nom de « Réserve du Général ». Cette étiquette est relativement nouvelle à Palmer et on ne l'utilise pas tous les ans. Jusqu'à la création de cette étiquette, le vin déclassé était commercialisé en Margaux générique. Néanmoins, n'oublions pas, comme on le fait souvent, que l'existence des seconds vins remonte au tout début du XVIIIᵉ siècle, c'est-à-dire aux origines de la création des *new french clarets* !

FINE CLARET
AND
WHITE BORDEAUX

The property of
Mähler-Besse, S.A., Bordeaux
and other trade and private owners

Including

Twenty-seven vintages of Château Palmer ranging from 1928 to 1987; an important collection from
an impeccable cellar in Bordeaux, including first growths of great vintages; many other private and
trade stocks, vintages 1961 to 1986, in lot sizes to interest all buyers; and dry and sweet white
Bordeaux.

Which will be sold at Christie's Great Rooms

on THURSDAY 16 MAY 1991

at 11.00 a.m. precisely

**Tasting for catalogue subscribers and registered bidders with catalogues,
from 11.00 a.m. to 1 p.m. on Wednesday 15 May 1991,
at 8 King Street, St. James's, London S.W.1**

In sending commissions or making enquiries, this sale should be referred to as
BESSE (4527)

Cover illustration:
M. Franck Mähler-Besse and M. Henry Mähler-Besse standing in the courtyard of Château Palmer

CHRISTIE, MANSON & WOODS LTD.
8 KING STREET, ST. JAMES'S, LONDON SW1Y 6QT
Telephone: 071-839 9060   Telex: 916429   Facsimile: 071-839 1611
Facsimile (Wine Department): 071-839 7869

Registered at the above address, No. 1128160

PAGE PRÉCÉDENTE
Détail de la vente de
bouteilles de Palmer
chez Christie's en
1991.

Scène de vendange.

En dépit des prix de vente qui ont beaucoup augmenté, les résultats ne doivent pas cacher que les frais de gestion ont connu, eux
aussi, une poussée extraordinaire. À l'heure actuelle, tout au moins
pour les dernières récoltes et par rapport à la décennie de 1961 à
1970, ils ont largement été multipliés par 8 ou 9. Ces dépenses
intègrent les charges sociales et les frais de main-d'œuvre qui
absorbent de 35 à 40 % du total annuel déboursé, les fournitures,
toujours plus onéreuses, l'équipement et le matériel qu'il faut
moderniser, et l'amortissement des investissements multiples, car
on ne peut conduire un très grand cru classé sans une politique à
long terme. Depuis le XVIIIᵉ siècle, elle a toujours été pratiquée par
les grands propriétaires du vignoble médocain.

❦ Comme une cathédrale.
On a un exemple des investissements
de Palmer dans les aménagements récents du domaine. En
1993 et 1994, les façades de plusieurs bâtiments d'exploitation donnant sur la « route des châteaux », qui va de Bordeaux à Pauillac,
ravalées, offrent la blondeur de la belle pierre de Bourg et leur don-
nent un aspect somptueux. Une allée pénétrante ouvre l'accès. Les

installations liées aux vendanges s'adaptent aux temps actuels : une cuisine moderne et un somptueux réfectoire carrelé, éclairé de vastes baies vitrées, sortent de terre. Cette grande salle accueille les réceptions et banquets. Le centre administratif de Palmer, où se situe notamment le bureau de l'administrateur, Bertrand Bouteiller, siège dans un bâtiment ancien totalement rénové.

**Claude Chardon
et Philippe Delfaut.**

Toutefois, l'aspect le plus spectaculaire de cette modernisation réside dans le nouveau cuvier. Pour l'œil, c'est un enchantement : quatre rangées de cuves mêlées à un lacis de poutres blondes qui font chanter l'inox projettent le visiteur dans une sorte de cathédrale élevée à la gloire du vin. Un tableau électronique – véritable harmonium – permet de surveiller l'évolution des fermentations alcooliques et malo-lactiques, et de veiller à la parfaite maintenance de la température, en faisant pianoter une féerie de lumières vertes et rouges. L'architecture arachnéenne des charpentes de sapin signe la revanche du bois sur le métal.

Les cuves offrent une capacité totale de 5 000 hectolitres. Réalisées

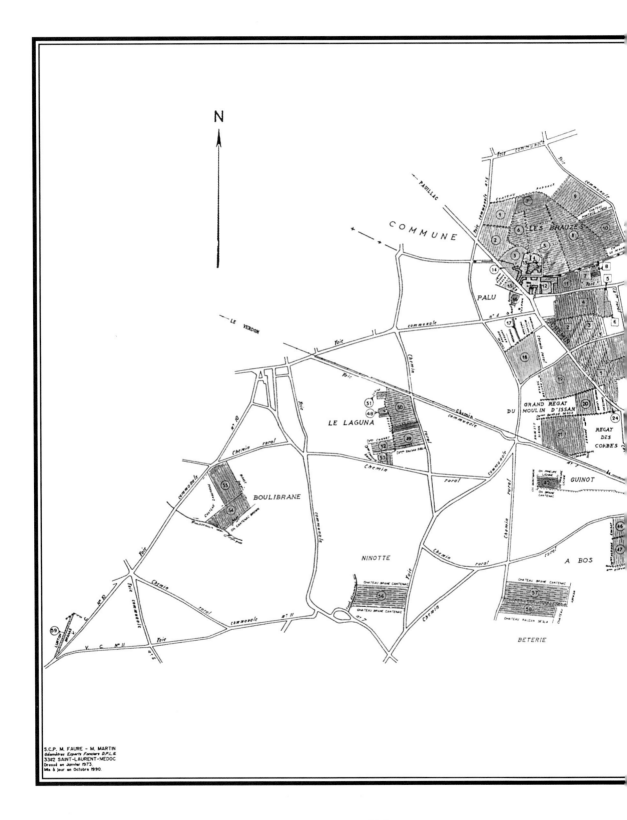

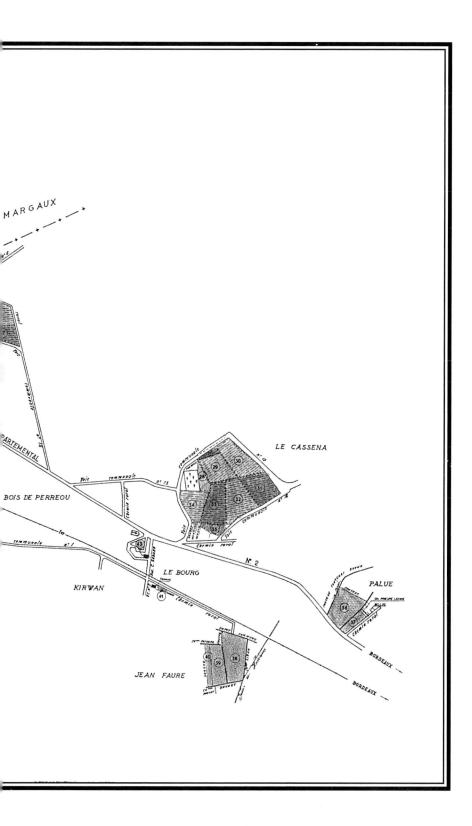

MARGAUX

LE CASSENA

BOIS DE PERREOU

LE BOURG

KIRWAN

PALUE

JEAN FAURE

BORDEAUX

BORDEAUX

À GAUCHE
**Plan d'ensemble du
vignoble.**
Violet : merlot.
**Orange : cabernet-
sauvignon.**
Bleu : petit verdot.
**Marron : terres non
cultivées.**
**Rose : château
et bâtiments.**
Vert : parcs.

PAGES SUIVANTES
**Le raisin est
transporté en haut
des rangs de vigne,
puis trié et acheminé
jusqu'au cuvier.**

L'équipe des trieurs dans les vignes de Château Palmer.

depuis peu par un constructeur girondin, elles présentent une forme tronconique, et non cylindrique comme dans nombre d'autres cuviers médocains. Cette forme à l'identique des cuves anciennes permet de mieux rapprocher le chapeau solide du moût en fermentation et, par conséquent, de freiner la montée des marcs, d'assurer une meilleure macération et une bonne extraction de la couleur.

À l'heure où nous écrivons, cette nouvelle cuverie aura déjà reçu la récolte de 1995, puis celle de 1996. Ainsi, Palmer abandonne, non sans une certaine nostalgie, les vieilles cuves en chêne. On ne peut qu'approuver cette radicale modernisation ; faut-il redire ici que les cuves ne servent que fort peu de temps dans l'année viticole et que la cuverie traditionnelle s'entretient très difficilement ? En outre, la manutention, plus efficace, plus rationnelle, se trouve simplifiée. Dans le fond, pour faire un grand vin comme celui de Palmer, il faut, ainsi que l'écrivait Jean-Paul Gardère, un « terroir de qualité, des raisins sains et des cuves propres ».

Palmer se modernise ; il évolue avec une sage lenteur, mais toujours en vue du même objectif qui fut celui des lointains prédécesseurs : maintenir et promouvoir l'excellence de ses grands vins, parfaite illustration de la finesse aromatique des meilleurs Margaux.

❦ Au rythme du vin.
Nous avons vu qu'à Palmer la stricte observance de la qualité se fait parfois au prix de sacrifices financiers. Non seulement les propriétaires se refusent, comme nous l'avons dit, à mener une politique systématique de deuxième vin, mais encore les clients eux-mêmes sont choisis afin d'éviter que les précieuses bouteilles soient éparpillées et par conséquent banalisées. Position résolument antimercantile, qui consiste à tout miser sur le long terme. Seule une partie de la production est commercialisée en primeur, une autre étant stockée pour vieillissement. Ce travail en profondeur prouve la confiance de Palmer dans la qualité exceptionnelle de ses vins et donne aujourd'hui de brillants résultats. Certains millésimes se sont révélés capables de « tenir » plus de

Bertrand Bouteiller
(à droite)

Peter Sichel
(à gauche).

Franck Mähler-Besse.

141

« Ça s'annonce bien
pour 1996... »

cinquante ans. Comment aurait-on dégusté ces merveilles si, comme l'ont fait certains châteaux, on avait réalisé toute la production ? Pas de rentabilité à tout crin : il faut savoir attendre et vivre au rythme du vin, qui se situe dans la durée.

Palmer se veut avant tout une entreprise familiale et non un « trust » financier. Des amoureux du vin, de génération en génération, travaillent en équipe à l'élaboration d'un produit ancestral. Les associés se réunissent chaque mois, réfléchissent, pensent et décident. Les responsables font chaque jour le tour du domaine. Vigilance est le maître mot d'une société à la pérennité désormais assurée pour des lustres. La société s'adapte aux exigences modernes, comme en témoigne l'installation du nouveau cuvier en inox, mais préserve autant que possible l'héritage du passé.

Enfin, à Palmer, l'aspect humain demeure prépondérant : contact permanent avec le personnel, qualité de l'accueil, politique de portes ouvertes. Chacun, client ou non, est le bienvenu.

Quand on a la conviction de faire un bon vin, il faut savoir s'en montrer fier !

PAGE PRÉCÉDENTE
Château Palmer. Le directeur technique : suivi des degrés.

CI-DESSUS
Tableau de suivi des températures de fermentation. Chaque cuve est contrôlée indépendamment par informatique.

PAGE PRÉCÉDENTE
ET CI-CONTRE
Château Palmer :
chaque jour pendant
la fermentation,
le moût est aéré,
remonté sur le
« chapeau »
(matière solide : peau,
pépins, etc.) pour en
extraire le maximum
de couleur.

❦ Partenaire de la nature.
Être propriétaire d'un grand cru, c'est être

partenaire de la nature. Comme le dit Peter Sichel : « L'homme ne
peut créer un grand vin avec ses propres forces. Le caractère vient
du terroir, de la même façon que le nôtre, et celui de nos enfants,
dépend de nos gènes. Pour faire un grand vin, il faut respecter ce
caractère. Un grand vin n'est pas dominé par l'homme. C'est un
vin dans lequel l'homme a su mettre en valeur le caractère du terroir. Comme la personnalité d'un homme varie selon l'environne-
ment dans lequel il a été élevé, l'expression du caractère varie
d'une année à l'autre, suivant les conditions météorologiques.
Dans une année chaude s'exprime la générosité, mais peut-être
avec moins de finesse ; dans une année froide, le vin se montre
parfois fermé, du moins au début, et il faudra attendre. Dans une

PAGE PRÉCÉDENTE
Château Palmer :
le cuvier actuel, une
harmonie de tradition
et d'efficacité.

année pluvieuse, le caractère pourra sembler dilué, mais il faut le maintenir. Le travail de l'homme consiste à vendanger des raisins sains et mûrs qui fermenteront dans les meilleures conditions, et, au moment des assemblages, à se montrer draconien afin d'éliminer toute cuve qui n'exprime pas le caractère unique et précis du terroir.

« On peut donc dire que le caractère vient du terroir, la personnalité des conditions climatiques, mais que la qualité est le fait de l'homme. »

Dégustation sous le regard de Pey-Berland (archevêque de Bordeaux en 1440).

La « geste » de Palmer est exemplaire. Pendant près de trois siècles, ce château a surmonté, non sans mal, de longues périodes de crise. En fait, on ne compte, pendant ce laps de temps, que trois périodes fastes, trois âges d'or : une vingtaine d'années dans la seconde moitié du XVIIIe siècle, une trentaine dans la seconde moitié du siècle suivant et, depuis les années 1980, une nouvelle et fabuleuse période.

À terme, on trouve un grand vin réputé par sa finesse, par son équilibre et par les nuances gustatives qui marient diverses saveurs florales et autres arômes dits secondaires. Il y a un style Palmer inimitable : on le découvre dans les millésimes fameux, comme celui de 1961 qui reste dans la mémoire des connaisseurs. Mais aussi dans nombre d'autres qui chantent dans notre souvenir gustatif : le puissant 1970, le délicat 1971, le grand 1975 et, dans la dernière décennie, le volumineux et riche 1982 ; le fruit et le charme de 1985 ; l'élégance et la finesse de 1986 et de 1988 ; les généreux et structurés 1989 et 1990, parfaitement équilibrés, qui avec le 1988, trilogie glorieuse, associent le potentiel du terroir et le savoir-faire des hommes. Mais quel plaisir gustatif apportent les millésimes réputés petits à Palmer ! Il y a, dans ces derniers, qui font un peu oublier les inquiétudes nées de la conjoncture, comme un hommage rendu par le terroir à la persévérance des hommes. À Palmer, les responsables, depuis les origines au XVIIIe siècle, ont toujours réussi à limiter les rendements, à réaliser les investissements nécessaires, à moderniser les techniques avec prudence, mettre en œuvre les acquis de la science œnologique contemporaine, à améliorer l'encépagement, à promouvoir l'image de marque du château. Ils ont su en même temps exercer une prudence de bon aloi dans l'utilisation des engrais chimiques au bénéfice des fumures organiques.

Autre atout du château : l'accueil des visiteurs. Il y a bien longtemps que le grand cru de Cantenac exerce, sans le savoir, l'opération « portes ouvertes ». Palmer se montre toujours disponible à l'amateur de vin fin, toujours prêt à le recevoir et à lui faire découvrir le vignoble et déguster son fruit.

Ce parti pris de convivialité, associé au suivi méticuleux du circuit des bouteilles vendues, participe au prestige de Palmer. Classé troisième grand cru en 1855, il s'est hissé au rang des meilleurs seconds, comme le reconnaissent les négociants, les courtiers et les nombreux amoureux de Palmer, français et étrangers : *Noblesse oblige*.

Crédits photographiques

Reportage photographique
JEAN-PIERRE LAGIEWSKI

COLLECTIONS PARTICULIÈRES (droits réservés)
Pages 16, 17, 18, 19, 20, 21, 25, 26, 50, 56, 71, 74,
78, 79, 91, 97, 98, 101, 108-109, 122.

Photographies LAUROS-GIRAUDON, Paris
Pages 22-23, 57, 67.

Photographie ROGER-VIOLLET, Paris
Page 70.

Photographies SYLVAIN PELLY, Paris
Pages 56, 100.

RÉUNION DES MUSÉES NATIONAUX, Paris
Pages 22-23.

Maquette et mise en pages
de Raymonde Branger.

Cet ouvrage a été imprimé sur les presses
de l'imprimerie Moderne de l'Est
à Baume-les-Dames
en 1997
pour le compte des Éditions Stock, Paris.

Dépôt légal : Avril 1997.
N° d'édition :0979
54.13.4498.01/9
ISBN : 2.234.4498.7